LES 100 ALIMENTS POUR RESTER EN FORME

LES 100 ALIMENTS POUR RESTER EN FORME

CHARLOTTE HAIGH.

ÉDITIONS
FRANCE
LOISIRS

Cet ouvrage est paru sous le titre original **The Top 100 immunity boosters**

Concept, création et maquette : Duncan Baird Publishers
© Duncan Baird Publishers 2005
© Texte Charlotte Haigh 2005
© Photos Duncan Baird Publishers 2005

Responsable éditorial : Julia Charles
Secrétaire d'édition : Ingrid Court Jones
Conception graphique : Manisha Patel
Maquette : Justin Ford

Pour l'édition française :
Traduction : Florence Paban
Secrétaire d'édition : Catherine Pelché
Composition : Edit-Press, Paris
© Éditions France Loisirs 2005
123, boulevard de Grenelle, Paris
www.france-loisirs.com

ISBN : 2-7441-8790-9
N° Éditeur : 43059
Dépôt légal : août 2005

Achevé d'imprimer sur les presses de Graficas Estella en Espagne, août 2005

Note de l'éditeur : les informations données dans cet ouvrage constituent un guide pour une alimentation saine et ne doivent en aucun cas être considérées comme un substitut à un avis médical ou à un traitement. Les personnes ayant des problèmes spécifiques doivent consulter un médecin avant de modifier leur régime.

Sommaire

LÉGENDE DES SYMBOLES

Antiallergique

Antibactérien

Anticancéreux

Antiviral

Anti-inflammatoire

Antioxydant

Antiseptique

Diurétique

Bon pour le cœur

Le système immunitaire

Pour être en bonne santé, il faut avant tout posséder un système immunitaire en bon état de marche, capable de nous protéger de toutes sortes de maladies – rhumes, cancers, intoxications alimentaires et allergies – tout en ralentissant le vieillissement. Une mauvaise alimentation, un style de vie malsain et un environnement toxique peuvent à eux seuls compromettre et affaiblir notre système immunitaire et nous rendre vulnérables à tous les maux, des rhumes aux maladies plus graves.

COMMENT FONCTIONNE LE SYSTÈME IMMUNITAIRE ?

Le système immunitaire agit comme une armée défensive. Il s'appuie essentiellement sur le système lymphatique et la circulation sanguine, mais la peau et le système digestif jouent eux aussi un rôle important. Le système lymphatique est un réseau de vaisseaux qui renvoie les fluides en provenance d'espaces intercellulaires dans la circulation sanguine. Les nœuds lymphatiques, la rate et la thyroïde en font partie. Ils fabriquent des lymphocytes – cellules qui identifient puis s'emploient à détruire et éliminer les substances étrangères, les microbes et les cellules cancéreuses. Il existe deux types de lymphocytes : les cellules-B et les cellules-T. Ces dernières, produites par la thyroïde, peuvent détruire directement les corps étrangers. Les premières, fabriquées par la rate, sécrètent des anticorps chargés d'éliminer les intrus. Semblables aux lymphocytes, les cellules tueuses naturelles sont particulièrement mortelles et détruisent directement les cellules cancéreuses. Les globules blancs

– phagocytes et lymphocytes – jouent un rôle immunitaire important. Ce sont eux qui détruisent les bactéries ennemies et éliminent les tissus morts et abîmés. Un système immunitaire en parfait état de marche est un système en équilibre parfait. Ainsi, bien que conçu pour éliminer les intrus, il doit laisser l'accès aux substances dont nous avons besoin, notamment les aliments. Les intestins, par exemple, sont un milieu où cohabitent bactéries amies et bactéries ennemies. Tant que l'équilibre est respecté, les intestins sont bien protégés. Mais si les bactéries ennemies prolifèrent – à la suite d'une alimentation riche en sucres et en graisses saturées –, il y a un risque de troubles digestifs et d'infections fongiques.

LES ENNEMIS DU SYSTÈME IMMUNITAIRE

Tous les organes et les cellules immunitaires se nourrissent de nutriments spécifiques, essentiels à leur bon fonctionnement. L'interféron, une substance antivirale et anticancéreuse sécrétée par tous les tissus de l'organisme, a besoin, par exemple, de vitamine C pour être fabriqué, tandis que le lysozyme, une enzyme antibactérienne présente dans les fluides corporels tels que les larmes et le sang, a besoin de vitamine A. Une mauvaise alimentation aura donc pour effet immédiat d'affaiblir le système immunitaire. Le stress, le tabac, l'abus d'alcool et de caféine, les médicaments, les drogues, les additifs alimentaires, les pesticides et la pollution sont quelques-uns des ennemis du système immunitaire.

LES SIGNES DE FAIBLESSE IMMUNITAIRE

Un système immunitaire affaibli fait rapidement parler de lui. S'il est normal d'avoir un ou deux rhumes dans l'année, il l'est moins d'être vulnérable au moindre virus du rhume ou de la grippe et à toutes sortes d'infections. Problèmes digestifs, fatigue, douleurs articulaires, faiblesse musculaire et teint terne sont quelques-uns des autres signes.

Un système immunitaire déficient peut également se manifester par des allergies et des intolérances alimentaires en déclenchant une offensive quand il identifie la présence de certaines substances. Il libère alors de l'histamine et autres substances pour éliminer ce qu'il perçoit comme un intrus, provoquant toutes sortes de symptômes désagréables.

On parle de maladie auto-immune lorsque l'organisme se met en surrégime et fabrique des anticorps qui attaquent les tissus de l'organisme. Le lupus et l'arthrite rhumatoïde en font partie.

L'alimentation immunostimulante

Pour avoir des organes et des cellules en bonne santé, il est indispensable de bien se nourrir. Le système immunitaire a besoin de vitamine C pour fonctionner. Il faut donc manger beaucoup d'aliments contenant cet antioxydant – la plupart des fruits et des légumes en sont riches. La vitamine A est un puissant antiviral. Elle a une action bénéfique sur la thyroïde. On la trouve dans le foie, les laitages, les poissons gras, l'huile de foie de morue et les végétaux sous forme de bêtacarotène, que l'organisme transforme en vitamine A. Les vitamines B sont importantes pour l'activité des phagocytes (globules blancs) et la vitamine E est un puissant antioxydant qui stimule la production d'anticorps.

Certains minéraux sont eux aussi importants. Le calcium aide les phagocytes à assurer leur fonction de nettoyage, tandis que le sélénium est nécessaire à la production d'anticorps. Le fer améliore notre résistance, tandis que le zinc est indispensable à de nombreux processus immunitaires, notamment la maturation des cellules-T. La plupart des minéraux sont présents dans les graines, les noix et les légumes verts. Les protéines sont essentielles au système immunitaire, car elles servent à fabriquer toutes les cellules, notamment les anticorps et les enzymes du système immunitaire. Elles se composent d'acides aminés qui jouent un rôle clé dans les défenses immunitaires. Le glutathion, par exemple, est un acide aminé antioxydant et diurétique. Beaucoup de personnes souffrent de carences en protéines. Il est important de manger beaucoup d'aliments riches en protéines tels que des légumineuses, de la viande et des poissons. Les fibres sont un autre des nutriments clés. On les trouve dans les céréales complètes, les fruits et les légumes. Elles sont indispensables au système digestif – elles nettoient le côlon, évitent l'accumulation des toxines et empêchent l'invasion des bactéries ennemies. Les bonnes graisses poly-insaturées sont elles aussi importantes, car elles sont riches en acides gras oméga 3 et 6, qui combattent les inflammations et stimulent l'immunité. Il est donc conseillé de manger beaucoup de noix, de graines et de poisson gras. En plus des nutriments bien connus, certains aliments possèdent des propriétés immunostimulantes. Les légumes verts, notamment le brocoli et le chou, contiennent de puissantes substances anticancéreuses, les glucosinolates. Le melon, le pamplemousse rose et la tomate sont riches en lycopène, autre champion de la lutte contre le cancer. Les fruits rouges, notamment les fraises et les framboises, contiennent des anthocyanines aux vertus anti-inflammatoires et de l'acide ellagique capable de prévenir la formation des cellules cancéreuses.

LES AUTRES MOYENS DE STIMULER L'IMMUNITÉ

Il existe un certain nombre d'autres moyens, en plus d'avoir une alimentation saine, de stimuler votre immunité. Le sport, par exemple, favorise la circulation des fluides lymphatiques contenant les cellules immunitaires. L'exercice stimule aussi la circulation et améliore l'oxygénation des organes. Inutile de fréquenter une salle de gym – il vous suffit de rester actif et de faire chaque jour une demi-heure de marche rapide. En revanche, trop d'exercice peut affaiblir le système immunitaire. D'ailleurs, les athlètes ont tendance à avoir une santé fragile. Il ne faut pas non plus sous-estimer l'importance d'une attitude positive dans la vie et d'un bon réseau social – de nombreuses études ont révélé que le rire et l'optimisme stimulent le système immunitaire. Il est également important de dormir suffisamment. L'exposition à la lumière naturelle a elle aussi des bienfaits sur l'humeur et sur l'immunité. Enfin, le yoga et la méditation peuvent soulager le stress et vous aider à vous détendre.

LES ENNEMIS DU SYSTÈME IMMUNITAIRE

- Les carences en vitamines et en minéraux
- Le sucre
- Le stress
- Le tabac
- L'abus d'alcool
- Le manque d'exercice
- Le manque de sommeil

001

© ◎ ♥

Patate douce

NUTRIMENTS : vitamines B6, C, E, bêtacarotène ; fer, potassium ; fibres.

Ce tubercule délicieux et très nutritif a une saveur sucrée très particulière.

La patate douce est riche en vitamine C. La variété à chair orange contient également du bêtacarotène, un caroténoïde qui possède une action antivirale, anticancéreuse et antioxydante, et que l'organisme transforme en vitamine A – un antioxydant qui contribue à la prévention du cancer. La patate douce est également une source de vitamine E, indispensable à une peau saine. Très riche en fibres, surtout par sa peau, elle combat le cholestérol et favorise la digestion.

SALADE DE PATATE DOUCE
Pour 4 personnes

3 patates douces cuites avec la peau et coupées en dés
4 petits oignons blancs émincés
2 branches de céleri émincées
70 g de noix pilées
1 poivron vert émincé
20 cl de crème fraîche
2 c. à s. de vinaigre de vin blanc

Mélangez soigneusement tous les ingrédients dans un grand saladier et servez en accompagnement.

Préférez les patates douces à chair orange et à peau rouge à celles à chair blanche, beaucoup moins riches en bêtacarotène.

Carotte

La carotte est riche en nutriments particulièrement bons pour la vue.

NUTRIMENTS : vitamine K, bêtacarotène, folates ; calcium, chrome, fer, zinc ; fibres.

La carotte est l'un des aliments les plus riches en bêtacarotène. Cet antioxydant que l'organisme transforme en vitamine A protège les cellules contre les virus, combat le cancer, prévient les maladies cardiaques et améliore la vision. La carotte contient aussi de la vitamine K utile pour la coagulation et la cicatrisation des plaies, ainsi que des fibres bonnes pour la digestion et le cœur. Le chrome qu'elle renferme stabilise le taux de sucre dans le sang et fait d'elle un allié contre le diabète et les envies de sucre.

JUS DE CAROTTE
Pour 2 personnes

**8 carottes brossées
et coupées en rondelles
4 pommes vertes
coupées en lamelles
1 morceau (5 cm)
de gingembre frais**

Passez tous les ingrédients à la centrifugeuse et servez immédiatement.

Les carottes crues sont parfois difficiles à digérer. Mangez-les râpées.

Igname

NUTRIMENTS : vitamines B1, bêtacarotène ; fibres.

Depuis des siècles, ce tubercule est l'aliment de base dans de nombreuses régions du monde.

Selon la variété, l'igname est jaune, blanche ou violette. La jaune est très riche en bêtacarotène, dont l'organisme a besoin pour fabriquer de la vitamine A, elle-même indispensable pour renforcer les membranes cellulaires, résister aux virus, prévenir le cancer et aider l'organisme à affronter le stress et la pollution. Sa vitamine B1 est tonifiante et combat la dépression et le stress, deux grands ennemis du système immunitaire.

PURÉE D'IGNAME ET D'ÉPINARD
Pour 4 personnes

500 g d'ignames épluchées et coupées en dés
250 g d'épinards frais
3 c. à s. d'huile d'olive
1 oignon émincé
sel de mer et poivre noir du moulin

Faites cuire l'igname jusqu'à ce qu'elle soit tendre et réduisez-la en purée. Faites blanchir les épinards dans l'eau bouillante et égouttez-les. Dans une poêle, faites chauffer l'huile et faites fondre l'oignon. Ajoutez l'igname et les épinards et mélangez soigneusement. Assaisonnez et servez en accompagnement.

Les ignames sont très riches en fibres et agissent favorablement sur le système digestif.

Pomme de terre

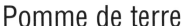

Ce légume universel à la popularité jamais démentie vous protège contre les maladies.

La pomme de terre est l'une des sources les moins chères et les plus accessibles de vitamine C – un nutriment essentiel au système immunitaire. Les pommes de terre nouvelles sont les plus riches en antioxydants. Les fibres qui favorisent la digestion et combattent le cholestérol sont surtout concentrées dans la peau. La pomme de terre contient également de la vitamine B6 utile à la fabrication des acides aminés immunostimulants essentiels à la santé. La vitamine B6 aide également les phagocytes à débarrasser les cellules de leurs déchets.

NUTRIMENTS : vitamines B1, B3, B6, C, folates ; cuivre, fer, potassium ; fibres.

PURÉE DE POMMES DE TERRE À L'AIL
Pour 4 personnes

6 pommes de terre moyennes, pelées et coupées en dés
5 gousses d'ail
30 cl de lait de vache ou de soja
4 c. à s. d'huile d'olive
1 c. à c. de sel
1 pincée de poivre noir
1 c. à c. de noix de muscade râpée

Dans une casserole, versez le lait sur les pommes de terre et l'ail, couvrez d'eau et faites bouillir jusqu'à ce que les légumes soient tendres. Ajoutez l'huile d'olive, le sel, le poivre et la muscade, puis réduisez en purée. Servez en accompagnement.

NUTRIMENTS : vitamines B1, B6 ;
composés sulfurés ; flavonoïdes.

Oignon

Ce légume très répandu qui parfume vos plats est bon pour la santé.

L'oignon contient un taux exceptionnel de quercétine, un puissant antioxydant capable de bloquer la formation de cellules cancéreuses. La quercétine a une action anti-inflammatoire, antibiotique et antivirale. Comme le bêtacarotène, elle n'est pas détruite à la cuisson. L'oignon aurait aussi la capacité de stopper l'activité de l'*Helicobacter pylori*, bactérie responsable des ulcères d'estomac et des intoxications alimentaires. Et enfin, il combat le cholestérol, fluidifie le sang et empêche la formation de caillots.

SOUPE À L'OIGNON

Pour 4 personnes

1 c. à s. d'huile de carthame
1 c. à s. de beurre
3 gros oignons coupés
   en fines rondelles
1 c. à c. de sucre roux
2 c. à c. de farine
60 cl de bouillon de légumes
1 brin de thym
1 c. à s. de sauce de soja
poivre noir

Faites fondre l'huile et le beurre dans une grande poêle, puis faites brunir les oignons et le sucre. Incorporez la farine et laissez cuire 1 minute, puis ajoutez le bouillon, le thym, la sauce de soja et le poivre noir. Réduisez le feu et laissez frémir pendant 20 min avant de servir.

L'oignon, surtout cru, peut indisposer les personnes souffrant de problèmes gastro-intestinaux.

006

Poivron rouge

Les poivrons d'un rouge éclatant sont une mine de vitamine C et de bêtacarotène.

Le poivron rouge est l'une des sources les plus riches de vitamine C essentielle au système immunitaire. Il contient également des flavonoïdes, qui stimulent l'action antioxydante de la vitamine C en renforçant sa capacité à protéger l'organisme contre les maladies. Il est riche en bêtacarotène, que l'organisme transforme en vitamine A antivirale et immunostimulante. Il contient aussi des fibres qui préviennent la formation de cholestérol.

NUTRIMENTS : vitamines B6, C, bêtacarotène ; fibres.

POIVRONS FARCIS
Pour 4 personnes

3 c. à s. d'huile d'olive
4 poivrons rouges étêtés
   et épépinés
200 g de tomates cerises
2 gousses d'ail finement
   hachées
1 oignon rouge finement
   émincé
1 bouquet de basilic ciselé
100 g de mozzarella coupée
   en petits cubes
100 g de parmesan râpé
poivre noir

Préchauffez le four à 220 °C (th. 7). Versez 2 cuillerées à soupe d'huile d'olive dans un plat allant au four. Mélangez tous les ingrédients, sauf les poivrons, dans un saladier avec 1 cuillerée à soupe d'huile d'olive. Farcissez les poivrons avec ce mélange, puis posez le couvercle des poivrons. Disposez-les dans le plat et faites cuire 20 min au four. Servez immédiatement.

Les poivrons verts et jaunes contiennent autant de vitamine C que les poivrons rouges, mais moins de bêtacarotène.

Betterave

NUTRIMENTS : folates ; fer, manganèse, potassium ; bétanine ; fibres, protéines.

En plus de nous détoxiquer et de purifier notre sang, la betterave contient toutes sortes de nutriments essentiels à notre immunité.

Cette descendante de la bette qui pousse sur le pourtour méditerranéen a longtemps été recherchée pour ses vertus thérapeutiques. On l'utilisait traditionnellement pour purifier le sang. Découverte par les Romains, elle ne fut introduite en cuisine qu'à partir du XVIIIᵉ siècle par les chefs français.

LES PROPRIÉTÉS IMMUNOSTIMULANTES DE LA BETTERAVE

Riche en fer, la betterave stimule la production d'anticorps et de globules blancs (notamment de phagocytes). Elle favorise la production de globules rouges et améliore l'oxygénation des cellules. Elle contient du manganèse nécessaire à la formation d'un puissant agent anticancéreux, l'interféron. Sa couleur rouge lui vient de la bétanine, un pigment antioxydant qui prévient le cancer et les maladies cardiaques. La betterave exerce une action diurétique sur le foie et les reins. Riche en fibres, elle est importante pour la santé cardiaque et digestive.

PRÉPARATION DE LA BETTERAVE

Aussi bonne cuite que crue, la betterave peut se consommer en jus, en salade ou en soupe. Les fanes (feuilles) sont également riches en vitamines A et C, en fer et en calcium, et se préparent comme les épinards. Faites-les cuire quelques minutes à l'eau et servez-les chaudes avec un filet d'huile d'olive.

BLOC-NOTES

• La betterave était très prisée par les Grecs, qui la présentaient en offrande aux dieux.

• La betterave est dépourvue de toxines, mais ses fanes sont riches en acide oxalique et donc déconseillées aux personnes souffrant d'arthrite ou de calculs rénaux.

• La betterave est depuis toujours utilisée par les herboristes pour soigner les maladies sanguines et reste aujourd'hui encore considérée comme un bon remède naturel.

• La bétanine, ce pigment qui lui donne sa couleur rouge, peut teinter les urines. C'est surprenant, mais sans gravité !

SOUPE DE BETTERAVE *Pour 2 personnes*

1 oignon pelé et émincé
1 gousse d'ail écrasée
1 c. à c. de piment en poudre
1 c. à s. d'huile d'olive
400 g de tomates en boîte
2 betteraves crues lavées
crème fraîche

Préchauffez le four à 200 °C (th. 6). Enveloppez chaque betterave dans du papier aluminium et faites-les cuire 45 min environ. Les betteraves doivent être tendres. Laissez-les refroidir, puis pelez-les et coupez-les en dés. Faites fondre l'ail et l'oignon 3 min à feu doux dans l'huile d'olive. Incorporez le piment, mélangez et laissez cuire 1 minute. Ajoutez les tomates et portez à ébullition. Laissez frémir 15 min avant d'incorporer la betterave. Versez la soupe dans des bols, ajoutez de la crème fraîche et servez.

NUTRIMENTS : vitamines B3, C, E, bêtacarotène, lycopène ; potassium.

Tomate

Il existe plus de 7 000 variétés de tomate, toutes plus riches en nutriments les unes que les autres.

> La cuisson libère le lycopène, que l'organisme peut alors mieux assimiler.

La tomate est riche en vitamine C, un puissant antiviral essentiel à toutes les fonctions du système immunitaire. Elle est également riche en lycopène, un caroténoïde actif dans la prévention du cancer, en particulier celui de la prostate. La tomate est très riche en bêtacarotène nécessaire à la production de vitamine A. Elle a une action bénéfique sur la glande thyroïde, elle-même essentielle aux défenses immunitaires. Et enfin, elle est une bonne source de vitamine E, qui protège l'organisme contre les toxines.

GASPACHO *Pour 4 personnes*

6 tomates mûres concassées
1/2 oignon finement émincé
1/2 concombre pelé et coupé
   en dés
1 poivron vert coupé en dés
le jus de 1 citron
3 gousses d'ail hachées
3 c. à s. de persil frais ciselé

2 c. à c. de bouillon
   de légumes en poudre

Mixez tous les ingrédients jusqu'à obtenir un mélange homogène. Versez dans quatre bols que vous placez 30 min au réfrigérateur avant de servir.

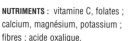

600

Rhubarbe

Utilisé en médecine chinoise depuis des millénaires, ce cousin de la patience est un puissant agent anti-infectieux.

NUTRIMENTS : vitamine C, folates ; calcium, magnésium, potassium ; fibres ; acide oxalique.

Cette plante au goût acidulé contient des substances antibactériennes qui aident l'organisme à lutter contre les infections. C'est une bonne source de vitamine C immunostimulante. Elle contient aussi des substances qui favorisent la prévention du cancer. La rhubarbe est riche en fibres qui combattent le cholestérol, préviennent les maladies cardiaques et agissent comme un laxatif naturel. Elle contient également de l'acide oxalique. Les oxalates aident l'organisme à se purifier, mais sont déconseillés aux personnes sujettes à la goutte et à l'arthrite.

CRUMBLE À LA RHUBARBE
Pour 4 personnes

5 tiges de rhubarbe émincées
2 c. à s. d'eau
125 g de sucre de canne
175 g de farine
100 g de beurre doux

Préchauffez le four à 180 °C (th. 4). Placez la rhubarbe, l'eau et la moitié du sucre dans une casserole et faites cuire 5 min. Pendant ce temps, préparez la pâte. Mélangez le beurre et la farine jusqu'à ce que la pâte s'émiette, puis ajoutez le reste de sucre et mélangez. Versez la rhubarbe cuite dans un plat allant au four, émiettez la pâte par-dessus et faites dorer au four avant de servir.

Shiitake

NUTRIMENTS : vitamines B1, B2, B3, C ; fer, magnésium, phosphore, potassium ; lentinan ; protéines.

Ce champignon asiatique très recherché possède de puissantes vertus anti-infectieuses.

Ce champignon originaire de Chine, du Japon et de Corée est utilisé en Asie depuis des millénaires pour prévenir et soigner les maladies. Dans l'Antiquité, les médecins chinois le prescrivaient pour toutes sortes d'indications – rhumes, grippes et troubles gastro-intestinaux. Récemment, de nombreux scientifiques se sont penchés sur son action immunostimulante et curative.

LES PROPRIÉTÉS IMMUNOSTIMULANTES DU SHIITAKE

Ce champignon contient du lentinan. Ce polysaccharide qui combat le cholestérol a été isolé et commercialisé au Japon comme médicament contre le cancer, car il incite le système immunitaire à désactiver les cellules malignes. Le lentinan stimule également la production d'interféron, substance antivirale et antibactérienne qui freine la progression du virus du sida. Enfin, le shiitake est riche en acides aminés immunostimulants.

PRÉPARATION DU SHIITAKE

Le shiitake est plus cher que beaucoup d'autres champignons, mais une petite quantité suffit à procurer des bienfaits pour la santé et satisfaire l'appétit. On le trouve frais, mariné ou séché, et il remplace tous les champignons dans n'importe quel plat.

BLOC-NOTES

• Dans la Chine ancienne, le shiitake était réservé à l'empereur et à sa famille.

• Le shiitake est l'un des rares champignons actuellement étudiés pour leurs vertus immunostimulantes. Les autres sont le maitake et le reishi.

• Les bienfaits du shiitake sont désormais disponibles sous forme de complément alimentaire. Mais compte tenu de ses vertus anticoagulantes, les personnes sous traitement de fluidification du sang doivent le consommer avec modération.

NOUILLES AU SHIITAKE *Pour 4 personnes*

250 g de nouilles aux œufs
3 c. à s. de sauce de soja
1 c. à s. de sauce à l'huître
1 c. à c. de sucre roux
1 c. à c. d'huile de sésame
2 petits piments rouges épépinés et émincés
1 sachet de tofu ferme coupé en dés

1 morceau (5 cm) de gingembre frais râpé
2 gousses d'ail écrasées
150 g de shiitakes frais émincés
6 petits oignons blancs émincés

Couvrez les nouilles d'eau bouillante, laissez frémir 5 min et égouttez. Dans un saladier,

mélangez la sauce de soja, la sauce à l'huître et le sucre. Dans un wok, faites chauffer l'huile et faites sauter les piments, le tofu, le gingembre et l'ail pendant 2 min. Puis ajoutez les nouilles, les champignons, la sauce et les oignons blancs. Remuez et servez immédiatement.

Potiron

NUTRIMENTS : vitamine C, bêtacarotène ; fibres.

La chair de la plus célèbre des courges est une mine de substances anticancéreuses.

Le potiron à chair orangée contient de grandes quantités de caroténoïdes, dont les études révèlent qu'ils participent à la prévention de certains cancers – notamment du côlon – et des maladies cardiaques. Il est également riche en vitamine C. Cet antioxydant nécessaire au bon fonctionnement du système immunitaire contribue à la prévention des virus tels que le rhume et à une meilleure résistance aux infections. Le potiron contient également des fibres qui combattent le cholestérol et facilitent la digestion en favorisant l'élimination des déchets.

Préférez les potirons à chair orange. Ce sont les plus riches en caroténoïdes.

BEIGNETS DE POTIRON *Pour 2 personnes*

1 quartier de potiron coupé en tranches fines
175 g de farine de blé complet
1/2 c. à c. de sel
1/2 c. à c. de levure
2 c. à c. de cumin en poudre
le jaune et le blanc d'un œuf
175 ml d'eau
1 oignon émincé
2 gousses d'ail écrasées
2 c. à s. d'huile d'olive

Faites cuire le potiron 10 min à la vapeur, puis laissez-le refroidir. Dans un saladier, mélangez la farine, le sel, la levure et le cumin, puis ajoutez petit à petit le jaune d'œuf et l'eau jusqu'à obtenir une pâte homogène. Ajoutez l'oignon et l'ail, puis battez le blanc d'œuf avant de l'incorporer à la pâte. Dans une poêle, faites chauffer l'huile, puis trempez les tranches de potiron dans la pâte avant de les faire frire en les retournant régulièrement jusqu'à ce qu'elles soient croustillantes et dorés. Servez chaud.

Piment

Le piment fort est un excellent antalgique naturel.

Le piment est utile dans l'alimentation, même en petites quantités – un seul petit piment rouge contient de grandes quantités de bêtacarotène. Ce caroténoïde à l'action antivirale, anticancéreuse et antioxydante est transformé par l'organisme en vitamine A. Ces deux nutriments contribuent à prévenir les méfaits des toxines et à diminuer les risques de cancer et de vieillissement prématuré. Les piments contiennent également de la capsicine. Cette substance végétale douée de vertus analgésiques naturelles peut s'employer à usage interne ou externe pour soulager les maux de tête, l'arthrite et la sinusite.

NUTRIMENTS : vitamine C, bêtacarotène ; capsicine ; fibres.

RIZ ÉPICÉ *Pour 2 personnes*

**200 g de riz à grains longs
le zeste de 1 citron vert
1 gousse d'ail pelée
1 piment rouge émincé
le zeste et le jus de 2 citrons
1 c. à s. de moutarde
à l'ancienne
4 c. à s. d'huile d'olive**

Versez le riz, le zeste de citron vert et l'ail dans une casserole, couvrez d'eau, portez à ébullition et laissez frémir jusqu'à ce que le riz soit tendre. Égouttez et retirez le zeste de citron et l'ail. Mélangez les autres ingrédients dans un saladier, puis incorporez-les au riz. Servez en accompagnement.

Les piments ont un effet positif sur l'humeur.

*Avocat

NUTRIMENTS : vitamines B1, B2, B3, B5, E, K, biotine, caroténoïdes, folates ; potassium, zinc ; bêtasitostérol, glutathion ; acides gras oméga 6 ; fibres.

L'avocat, l'un des rares fruits riches en lipides, procure toutes sortes de bienfaits pour la santé.

Bien qu'il se mange typiquement salé, l'avocat est en réalité un fruit. Originaire d'Amérique centrale, il fut découvert par les colons espagnols au XVIe siècle. Actuellement, on le consomme dans le monde entier et il pousse dans de nombreuses régions tropicales. Il est meilleur mûr, quand sa texture est onctueuse et moelleuse et son goût doux et crémeux.

LES PROPRIÉTÉS IMMUNOSTIMULANTES DE L'AVOCAT

L'avocat contient des acides gras mono-insaturés qui combattent le cholestérol. Il est également riche en acide linoléique, un acide gras oméga 6, que l'organisme transforme en acide gamma-linolénique, substance qui fluidifie le sang, soulage les inflammations et stabilise le taux de sucre dans le sang. Il est riche en vitamine E, un antioxydant qui neutralise les méfaits des toxines sur l'organisme et améliore la résistance aux infections. La vitamine B qu'il contient aide les cellules immunitaires à détruire les intrus – au même titre que le glutathion, puissant stimulateur de l'action des cellules tueuses naturelles de l'organisme. Il contient aussi du bêtasitostérol, une substance végétale particulièrement bénéfique pour la prostate.

PRÉPARATION DE L'AVOCAT

Les avocats sont généralement cueillis avant maturation. Il leur faut une semaine à température ambiante pour mûrir. Pour accélérer le processus, enveloppez-les dans du papier journal avec une banane.

BLOC-NOTES

• L'avocat a été baptisé « poire alligator » par les Espagnols, ou encore poire beurre, en raison de son onctuosité.

• Pour éviter qu'un avocat coupé en deux ne s'oxyde, laissez le noyau et arrosez la chair de jus de citron.

• L'avocat est très bon pour la peau – pour nourrir l'épiderme, écrasez la chair et enduisez-en votre visage. Rincez au bout de 10 min.

• Souvent, les personnes allergiques au latex ne tolèrent pas l'avocat.

GUACAMOLE *Pour 1 grand bol*

2 avocats mûrs pelés
et dénoyautés
le jus de 1 citron vert
2 gousses d'ail écrasées
1 oignon moyen finement
émincé
2 tomates pelées et concassées

1 petit piment rouge épépiné et
finement ciselé
1 c. à s. de coriandre fraîche
finement ciselée

Écrasez l'avocat à la fourchette
avec le jus de citron vert jusqu'à

obtenir une pâte homogène,
puis ajoutez les autres ingrédients
et mélangez soigneusement.
Pour obtenir une texture plus
onctueuse, utilisez un mixeur.
Servez avec des crudités.

NUTRIMENTS : vitamines B2, B3, C, E, caroténoïdes, folates ; calcium, magnésium, zinc ; fibres.

RISOTTO AUX ÉPINARDS
Pour 4 personnes

1 c. à s. d'huile d'olive
55 g de beurre doux
2 oignons finement émincés
275 g de riz arborio (riz rond)
1 petit verre de vin blanc
85 cl de bouillon de légumes
4 belles poignées d'épinards
frais lavés
100 g de parmesan râpé

Faites chauffer l'huile et le beurre dans une casserole et faites dorer les oignons à feu doux. Ajoutez le riz et remuez pendant 1 minute, puis incorporez le vin et laissez cuire jusqu'à complète absorption. Couvrez avec juste ce qu'il faut de bouillon et laissez cuire jusqu'à absorption, puis continuez à ajouter le bouillon jusqu'à ce que le riz soit cuit. Incorporez les épinards et faites-les légèrement cuire. Retirez du feu, saupoudrez de parmesan et servez.

Épinard

Cette plante potagère universelle possède de puissantes vertus anticancéreuses.

L'épinard est riche en caroténoïdes, que l'organisme transforme en vitamine A, un antioxydant qui stimule les défenses immunitaires et permet de mieux résister aux infections. Ce légume prévient les cancers du poumon, du sein et du col de l'utérus et combat les maladies cardiaques. Sa teneur en vitamine C le rend bénéfique pour la peau et les muqueuses, tandis que sa vitamine B renforce le tonus et le système nerveux. L'épinard est également riche en zinc, nécessaire à la stimulation des cellules-T.

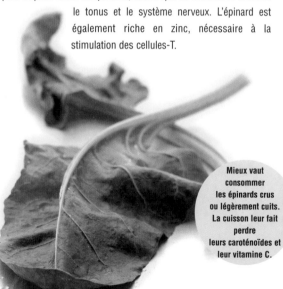

Mieux vaut consommer les épinards crus ou légèrement cuits. La cuisson leur fait perdre leurs caroténoïdes et leur vitamine C.

Asperge

Ce délicat légume de printemps est un puissant allié pour la santé.

L'asperge est un diurétique naturel qui aide l'organisme à éliminer les toxines. Ses vertus purifiantes et anti-inflammatoires en font un remède contre l'indigestion, le syndrome du côlon irritable et l'arthrite rhumatoïde. L'asperge est riche en folates, en bêtacarotène, en vitamine C et en glutathion antioxydant, tous susceptibles de réduire les risques de maladies cardiaques et de cancers. Elle est également riche en rutine, un flavonoïde nécessaire à la circulation, et en asparagine, un acide aminé diurétique.

La pointe est la partie la plus tendre de l'asperge. Seule une cuisson délicate préserve ses vitamines.

NUTRIMENTS : vitamines B3, C, bêtacarotène, folates ; potassium, zinc ; asparagine ; flavonoïdes ; fibres.

POINTES D'ASPERGES AU FOUR
Pour 4 personnes

1 botte de pointes d'asperges
1 c. à s. d'huile d'olive
sel de mer et poivre noir
copeaux de parmesan

Étalez les asperges sur une plaque de cuisson et arrosez-les d'huile d'olive. Salez et poivrez. Faites cuire au four à feu doux pendant 15 min jusqu'à ce que les asperges soient tendres. Parsemez de copeaux de parmesan et servez.

Artichaut

NUTRIMENTS : vitamines B3, B5, biotine, folates ; potassium, zinc ; cynarine.

Ce légume séduisant et raffiné, membre de la famille des composées, est un cousin du chardon.

L'artichaut a traditionnellement été utilisé pour combattre l'abus d'alcool, car il contient de la cynarine, un composé aux vertus diurétiques et bon pour le foie. Il soulage également les symptômes du syndrome du côlon irritable. Riche en vitamine B, il stimule le tonus, la vivacité d'esprit et le système immunitaire.

SALADE D'ARTICHAUT

Pour 4 personnes

8 fonds d'artichaut
4 grosses tomates coupées en quartiers
1 oignon rouge finement émincé
1/2 poivron vert émincé
100 g d'olives vertes
1 gousse d'ail écrasée
6 c. à s. d'huile d'olive
4 c. à s. de jus de citron
1 c. à c. de moutarde de Dijon
sel de mer et poivre

Si vous utilisez des artichauts frais, détachez les feuilles extérieures et coupez les feuilles intérieures. Grattez le foin et faites bouillir les fonds pendant environ 20 min, jusqu'à ce qu'ils soient tendres. Rincez-les à l'eau froide et incorporez-les aux tomates, à l'oignon, au poivron vert et aux olives dans un grand saladier. Réalisez une sauce en mélangeant les autres ingrédients, arrosez les légumes et servez.

Chou de Bruxelles

Ce membre de la famille des crucifères possède des vertus anticancéreuses qu'il doit à sa richesse en antioxydants.

NUTRIMENTS : vitamines B2, B5, B6, C, folates, bêtacarotène ; potassium ; glucosinolates ; fibres.

Le chou de Bruxelles est l'une des meilleures sources de glucosinolates – composés végétaux qui aident l'organisme à produire des enzymes anticancéreuses. Il est riche en vitamine C et en folates, qui favorisent les mécanismes de guérison de l'organisme. Il contient également de la vitamine B5, un immunostimulant qui accélère la production d'anticorps. Riche en fibres, il protège le système digestif et combat le cholestérol.

> Le chou de Bruxelles doit son nom à la ville où il fut cultivé pour la première fois au XVIᵉ siècle.

CHOUX DE BRUXELLES SAUTÉS *Pour 4 personnes*

2 oignons pelés et émincés
150 g d'amandes blanchies
  et légèrement grillées
4 c. à s. d'huile d'olive
600 g de choux de Bruxelles
  émincés
poivre noir

Faites fondre les oignons à feu doux dans l'huile. Faites blanchir les choux 1 minute dans de l'eau bouillante légèrement salée, égouttez-les, puis ajoutez-les aux oignons et aux amandes et laissez-les cuire à feu doux jusqu'à ce qu'ils soient tendres. Poivrez et servez.

NUTRIMENTS : vitamines B1, B2, B3, B5, C, K, bêtacarotène ; calcium, fer, magnésium, potassium.

INFUSION D'ORTIE ET DE CITRON *Pour 1 tasse*

2 branches d'ortie fraîche
1 quartier de citron
1 tasse d'eau bouillante

Lavez les branches d'ortie (avec des gants en caoutchouc) et placez-les dans une tasse. Versez l'eau bouillante et ajoutez le citron. Laissez infuser 5 min et laissez refroidir avant de boire.

○ ◉ ⇔ ♥

Ortie

L'ortie n'est pas qu'une mauvaise herbe urticante. C'est aussi une mine de vitamines et de minéraux excellents pour la santé.

L'ortie est un formidable purifiant. Son action diurétique aide l'organisme à éliminer les déchets liés à des problèmes tels que la goutte, l'acné et l'arthrite. Riche en nombreux nutriments, elle fortifie le système immunitaire. Elle soulage les maladies chroniques et facilite un prompt rétablissement. Sa teneur en antioxydants en fait un solide allié contre le cancer.

Faites toujours cuire l'ortie avant de la manger et portez des gants pour la manipuler quand elle est fraîche.

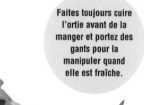

Cresson

Cette plante très goûteuse est un puissant immunostimulant.

Le cresson est riche en glucosinolates – composés végétaux qui stimulent l'activité des enzymes anticancéreuses. Il contient les vitamines antioxydantes essentielles au fonctionnement du système immunitaire. Il renferme aussi de la vitamine B6, qui encourage l'action des globules blancs chargés d'éliminer les déchets, les phagocytes. Le cresson est également une bonne source de manganèse et de fer, deux minéraux qui aident l'organisme à mieux résister aux infections.

NUTRIMENTS : vitamines B3, B6, C, E, K, bêtacarotène (et autres caroténoïdes) ; calcium, manganèse, fer, zinc ; glucosinolates ; fibres.

DIP AU CRESSON
Pour 1 bol

1 grosse poignée de feuilles de cresson ciselées
1 oignon émincé
1 avocat mûr pelé et dénoyauté
le jus de 1/2 citron
1 pincée de bouillon de volaille en poudre
1 gousse d'ail

Mixez tous les ingrédients pour obtenir un mélange homogène. Servez avec des crudités.

Le cresson a toujours été utilisé pour stimuler le métabolisme et purifier l'organisme.

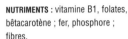

Endive

NUTRIMENTS : vitamine B1, folates, bêtacarotène ; fer, phosphore ; fibres.

Ce bon stimulant du système digestif était cultivé à l'origine pour ses racines – la chicorée –, qui étaient ajoutées au café.

L'endive fait partie de la famille des chicorées. Son amertume favorise la digestion et draine le foie. Elle est riche en bêtacarotène, que l'organisme transforme en vitamine A – un antioxydant qui prévient le cancer et possède de puissantes vertus antivirales. Elle contient également de la vitamine B1, un important tonifiant qui protège les muqueuses et les nerfs. L'endive est aussi une bonne source de fibres. Elle favorise l'élimination des déchets par l'organisme et combat le cholestérol.

ENDIVES BRAISÉES
Pour 2 ou 3 personnes

2 endives coupées en tranches
1 petite pomme rouge coupée en dés
1 c. à s. de jus de citron
2 c. à c. d'huile d'olive
sel de mer et poivre noir
1 c. à s. de persil frais ciselé
2 c. à s. de vinaigre de vin blanc

Placez tous les ingrédients, sauf le vinaigre et le persil, dans une grande casserole, couvrez d'eau et faites cuire à feu doux jusqu'à évaporation de l'eau. Arrosez de vinaigre et parsemez de persil et servez en accompagnement.

Chou-fleur

Ce légume originaire de Chine est riche en oligo-éléments.

Comme tous les membres de la famille des crucifères, le chou-fleur contient des glucosinolates, composés végétaux qui préviennent les cancers, surtout les cancers du poumon, du sein, de l'estomac et du côlon. Il contient également de la vitamine C et du zinc, tous deux essentiels au système immunitaire. Le chou-fleur est aussi riche en vitamines B, notamment en folates – indispensables à la bonne santé des organes de reproduction –, et en vitamine B5, nécessaire à la production d'anticorps.

NUTRIMENTS : vitamines B3, B5, B6, C, folates ; calcium, potassium, zinc ; glucosinolates ; fibres.

> Le chou-fleur a une action antiallergique qui peut soulager l'asthme et les allergies cutanées.

CHOU-FLEUR À L'INDIENNE *Pour 4 personnes*

1 oignon finement émincé
1 c. à s. d'huile d'olive
1 gousse d'ail écrasée
1 c. à c. de gingembre en poudre
1 c. à c. de coriandre en poudre
1 c. à c. de curcuma
1 chou-fleur moyen divisé
   en bouquets
2 c. à s. d'eau

Dans une casserole, faites revenir les oignons à feu doux dans l'huile pendant 5 min. Ajoutez l'ail, les épices, le chou-fleur et l'eau. Couvrez et laissez mijoter en remuant de temps à autre jusqu'à ce que le chou-fleur soit cuit. Poursuivez la cuisson en remuant jusqu'à évaporation du jus. Servez en accompagnement.

022

C O O ⬟ ♥

Chou frisé

NUTRIMENTS : vitamines B2, B3, B6, C, E, K, bêtacarotène, folates ; calcium, fer, magnésium, zinc ; flavonoïdes, glucosinolates, fibres.

Les vitamines et les oligoéléments dont regorge le chou frisé font de lui un important immunostimulant.

Le chou frisé est originaire du bassin méditerranéen. Comme le chou pommé et le chou de Bruxelles, il fait partie de la famille des crucifères, avec lesquels il partage la grande richesse en eau et en nutriments de ses feuilles. C'est un excellent légume-santé.

LES PROPRIÉTÉS IMMUNOSTIMULANTES DU CHOU FRISÉ

Le chou frisé contient de grandes quantités de glucosinolates, composés végétaux naturels qui bloquent les cellules cancéreuses, stimulent la détoxication, réparent les enzymes de l'organisme et stoppent la prolifération des cellules cancéreuses. Il contient également des flavonoïdes nécessaires à la circulation et aux défenses immunitaires, ainsi que des phytostérols importants pour combattre le cholestérol. Le chou frisé est aussi riche en vitamines B, qui stimulent le tonus et la capacité du système immunitaire à éliminer les intrus. Il contient deux antioxydants, la vitamine C et le bêtacarotène, ainsi que de la vitamine K nécessaire à la coagulation et à la cicatrisation, et de solides doses de minéraux immunostimulants tels que le fer et le zinc.

PRÉPARATION DU CHOU FRISÉ

Le chou frisé se consomme cru, cuit à la vapeur ou légèrement sauté. On le mange en hiver. Il constitue alors un complément nutritif à l'alimentation hivernale.

BLOC-NOTES

• On pense que le chou frisé, comme les autres membres de la famille des crucifères, agit sur l'équilibre hormonal et contribue à prévenir les cancers du sein et des ovaires.

• Les légumes de la famille des crucifères sont probablement les aliments végétaux les plus utiles pour la prévention du cancer en raison de leur forte teneur en glucosinolates.

• On donne le nom de chou à diverses plantes cultivées aux Antilles : chou palmiste ou chou caraïbe.

• Les nutriments du chou frisé sont particulièrement bons pour la peau, pour la cicatrisation et pour la santé des membranes cellulaires.

CHOU FRISÉ PERSILLÉ *Pour 4 personnes*

1 kg de chou frisé
1 c. à s. d'huile d'olive
sel de mer et poivre noir
3 c. à s. de persil frais ciselé
1/2 c. à c. de cannelle en poudre

Lavez et coupez en lanières les feuilles de chou. Faites chauffer l'huile dans une grande casserole, ajoutez le chou, couvrez et laissez cuire à feu doux jusqu'à ce que les feuilles soient tendres. Salez et poivrez, incorporez le persil et la cannelle. Laissez cuire 1 minute, puis servez immédiatement.

Brocoli

NUTRIMENTS : vitamines B3, B5, C, E, folates, bêtacarotène ; calcium, fer, zinc ; sulphoraphanes.

Le brocoli est l'une des meilleures armes contre les maladies. Aucun autre légume n'égale sa richesse en nutriments.

Le brocoli est une mine de vitamine C, un antioxydant essentiel aux défenses immunitaires. Il est également riche en caroténoïdes indispensables à la glande thyroïde chargée de réguler le système immunitaire, et en vitamines B nécessaires à la bonne santé des systèmes immunitaire et nerveux. Le brocoli contient également des sulphoraphanes, puissantes molécules anticancéreuses qui luttent contre le développement des tumeurs. Il est riche en fibres essentielles à la bonne santé du système digestif et possède des propriétés diurétiques qui contribuent à drainer le foie.

Consommez du brocoli deux ou trois fois par semaine pour prévenir le cancer, les maladies cardiaques et les rhumes.

BROCOLI SAUTÉ *Pour 2 personnes*

2 c. à s. d'huile de sésame
1 morceau (5 cm) de gingembre frais râpé
1 tête de brocoli lavée et émincée
1 gousse d'ail écrasée

Faites chauffer l'huile à feu doux et faites sauter le gingembre et le brocoli 3 min avant d'y ajouter l'ail. Poursuivez la cuisson 2 min et servez immédiatement en accompagnement.

Chou de Milan

Ce légume est un puissant diurétique.

Le chou de Milan contient de la vitamine C, un antioxydant nécessaire au bon fonctionnement du système immunitaire, et du bêtacarotène, que l'organisme transforme en vitamine A anticancéreuse. C'est également une bonne source de vitamine B3 – indispensable au tonus et à la bonne santé des muscles et des nerfs – et de folates, vitamines indispensables à la bonne santé des organes reproducteurs. Il contient également des glucosinolates, composés végétaux renfermant de puissantes enzymes auxquelles la recherche prête des vertus anticancéreuses.

NUTRIMENTS : vitamines B3, C, folates, bêtacarotène ; calcium, fer, potassium ; glucosinolates ; fibres.

CHOU DE MILAN
SUCRÉ-SALÉ *Pour 4 personnes*

3 c. à s. d'huile d'olive
1 c. à s. de graines
de moutarde
1 chou de Milan
coupé en lanières
2 gousses d'ail écrasées
2 c. à s. de noix de coco
en poudre
1 c. à s. de sirop d'érable
2 c. à s. de jus de citron
sel et poivre noir

Faites chauffer l'huile dans un wok, ajoutez les graines de moutarde et faites-les sauter jusqu'à ce qu'elles éclatent. Ajoutez le chou et l'ail et laissez fondre les feuilles. Puis ajoutez la noix de coco, le sirop d'érable et le jus de citron. Faites sauter 1 minute et assaisonnez. Servez en accompagnement.

Le chou de Milan est riche en fer indispensable à l'oxygénation du sang.

Roquette

NUTRIMENTS : vitamine C, bêtacarotène ; huiles volatiles ; fibres ; sulphoraphane.

Cette salade épicée et poivrée est pleine de nutriments essentiels à la lutte contre les maladies.

La roquette est riche en vitamine C, un puissant antioxydant qui aide l'organisme à mieux résister aux toxines, aux virus et autres infections. Elle est également riche en bêtacarotène, que l'organisme transforme en vitamine A anticancéreuse. La roquette affiche de fortes concentrations en sulphoraphane, substance dont on a démontré les puissantes propriétés anticancéreuses. C'est aussi une bonne source de fibres.

SANDWICH DE BŒUF À LA ROQUETTE *Pour 4 personnes*

4 tranches de pain complet
150 g de beurre
2 c. à s. de persil frais ciselé
4 petites entrecôtes très fines
2 grosses tomates coupées
  en rondelles
une grosse poignée
  de roquette lavée

Faites légèrement griller le pain des deux côtés. Mélangez le beurre et le persil et étalez sur les tartines. Faites griller la viande 1 minute de chaque côté, puis disposez-la sur le pain. Recouvrez de rondelles de tomates et de feuilles de roquette et servez.

La roquette peut se consommer légèrement cuite, mais on la mange le plus souvent crue, en salade.

© ◎ ♡

Kiwi

Plus riche en vitamine C que l'orange, le kiwi est le premier des immunostimulants.

NUTRIMENTS : vitamines B3, C, bêtacarotène ; fibres.

Les vertus immunostimulantes du kiwi reposent essentiellement sur sa teneur en vitamine C. Un seul fruit contient près de 120 pour cent des quantités quotidiennes recommandées chez l'adulte. Contrairement à beaucoup d'autres fruits, ses nutriments restent intacts longtemps après la récolte. Au bout de six mois de stockage, il contient encore 90 pour cent de sa vitamine C. Le kiwi est également une bonne source de fibres nécessaires au système digestif et à la santé cardiaque.

SALADE DE FRUITS TROPICAUX *Pour 4 personnes*

4 kiwis pelés et coupés
en rondelles
1 mangue pelée, dénoyautée
et coupée en cubes
1 papaye pelée, épépinée
et coupée en rondelles
8 lychees pelés, dénoyautés
et coupés en deux
1 ananas épluché et coupé
en cubes
la pulpe de 4 fruits
de la passion

Mélangez tous les ingrédients dans un grand saladier. Laissez reposer 1 h pour que les saveurs se dégagent, puis servez.

Le kiwi peut provoquer des réactions allergiques chez certains enfants.

Ananas

NUTRIMENTS : vitamines B1, B2, C ; manganèse ; broméline, fibres.

L'ananas est riche en broméline, une enzyme qui soulage les inflammations.

L'ananas frais contient de la broméline – une enzyme qui facilite l'assimilation des protéines, stimulant ainsi le système digestif et bloquant l'action d'un certain nombre d'agents inflammatoires, ce qui a pour effet de soulager la sinusite, l'arthrite rhumatoïde et la goutte, et d'accélérer la guérison des blessures et des opérations. L'ananas est également une excellente source de manganèse – cofacteur indispensable à un certain nombre d'enzymes essentielles à l'activité protectrice des antioxydants et à la production d'énergie. Enfin, riche en vitamine C, il stimule le système immunitaire et le protège contre les radicaux libres.

SALADE D'ANANAS ET DE CONCOMBRE *Pour 2 personnes*

300 g de concombre pelé et coupé en fines rondelles
300 g d'ananas frais pelé et coupé en cubes
2 c. à s. de mayonnaise au citron
feuilles de menthe fraîche pour décorer

Disposez le concombre dans une passoire, saupoudrez de sel et laissez reposer 4 min. Rincez et essorez le concombre. Dans un saladier, mélangez le concombre et l'ananas. Conservez 2 h au réfrigérateur, puis incorporez la mayonnaise. Garnissez de feuilles de menthe et servez.

Papaye

La chair sucrée de ce fruit tropical est riche en caroténoïdes et en antioxydants.

La papaye est une excellente source de vitamine C et de bêtacarotène. En plus de stimuler le système immunitaire, ces deux antioxydants empêchent l'accumulation de dépôts sur les parois des vaisseaux sanguins et nous protègent contre les maladies cardio-vasculaires. La papaye est également riche en fibres qui combattent le cholestérol et préviennent le cancer du côlon en absorbant les toxines cancérigènes. Elle contient aussi de la papaïne, une enzyme qui facilite la digestion des protéines et soulage les inflammations.

NUTRIMENTS : vitamine C, caroténoïdes, folates ; potassium ; papaïne, fibres.

PAPAYE CUITE AU GINGEMBRE *Pour 2 personnes*

3 papayes coupées en 2
  et épépinées
60 g de beurre doux
5 morceaux de gingembre
  confit hachés
le jus et le zeste d'un citron
  vert
1 c. à s. de sirop
  de gingembre confit

Préchauffez le four à 180 °C (thermostat 4). Disposez les papayes dans un plat allant au four huilé. Mélangez le beurre et le gingembre avec la moitié du jus et du zeste de citron vert. Versez ce mélange dans les papayes. Arrosez avec le reste de jus et de zeste de citron vert et le sirop de gingembre. Faites cuire jusqu'à ce que la chair de la papaye soit tendre. Vous pouvez servir avec du yaourt.

Abricot

NUTRIMENTS : vitamines B2, B3, B5, C ; bêtacarotène ; calcium, fer, zinc ; fibres.

Ce fruit parfumé est une mine de nutriments. Il est délicieux frais ou sec.

Riche en fibres, l'abricot favorise la détoxication en accélérant l'élimination des déchets par l'organisme. Il est riche en bêtacarotène nécessaire à la production de vitamine A anticancéreuse. Il contient aussi de la vitamine B5 essentielle à la production d'anticorps. C'est une bonne source de vitamine C essentielle à toutes les fonctions immunitaires. L'abricot sec est une excellente source de fer, important pour améliorer notre résistance.

CRUMBLE À L'ABRICOT
Pour 4 personnes

950 g d'abricots coupés en 2 et dénoyautés
55 g de sucre roux
100 g de farine de blé complet
25 g de flocons d'avoine
2 c. à s. de cassonade
55 g de beurre doux coupé en petits morceaux

Préchauffez le four à 190 °C (thermostat 5). Découpez grossièrement les abricots et disposez-les dans un plat de cuisson beurré. Saupoudrez de sucre roux. Dans un saladier, mélangez le reste des ingrédients et malaxez-les jusqu'à ce que le mélange s'émiette. Saupoudrez ce mélange sur les abricots et faites cuire 40 min. Vous pouvez servir avec de la crème fraîche.

Évitez les abricots secs à peau orange vif. Ils ont été traités au soufre.

Goyave

Ce délicieux fruit tropical très parfumé
est exceptionnellement riche en vitamine C.
C'est aussi un puissant diurétique.

NUTRIMENTS : vitamines B3, C,
bêtacarotène ; fibres.

La goyave doit sa belle couleur orange au bêtacarotène que
l'organisme transforme en vitamine A. Importante pour la
prévention des virus et du cancer, cette vitamine est un
puissant antioxydant qui s'allie à la vitamine C pour éliminer les
radicaux libres et veiller à la bonne santé des organes. La
goyave est riche en fibres et possède des vertus détoxicantes.
Elle peut aussi soulager les maladies auto-immunes telles que
l'arthrite rhumatoïde.

JUS DE GOYAVE

- **1 goyave pelée et coupée
  en dés**
- **1 petite orange pelée
  et coupée en quartiers**
- **2 pommes vertes coupées
  en dés**
- **1 rondelle de citron vert
  pour décorer**

Passez les ingrédients à la
centrifugeuse. Servez avec des
glaçons et décorez d'une
rondelle de citron vert.

La goyave a
une action
immunostimulante.
Elle renforce
les défenses
immunitaires.

Melon

NUTRIMENTS : vitamines B3, C, bêtacarotène.

Ce fruit d'été est originaire de la ville de Cantalupo, près de Rome.

Le melon est l'une des sources les plus riches de bêtacarotène que l'organisme transforme en vitamine A, un antioxydant essentiel à la production de lymphocytes anti-infectieux. Il est également riche en vitamine C nécessaire à toutes les fonctions immunitaires et à la prévention des rhumes, du cancer et des maladies cardiaques. Sa forte teneur en eau lui confère une certaine action diurétique qui favorise le drainage de l'organisme.

SALADE DE MELON
Pour 4 personnes

2 melons pelés, épépinés et coupés en dés
1 pamplemousse rose coupé en quartiers
10 framboises
1 morceau (2,5 cm) de gingembre frais râpé

Dans un grand saladier, mélangez le melon et le pamplemousse et laissez-les reposer pendant 30 min. Répartissez dans 4 coupelles et décorez de framboises et de gingembre.

Fruit de la passion

Riche en vitamines, ce fruit à la saveur intense et aux pépins comestibles est un puissant tonifiant.

Le fruit de la passion est une bonne source de vitamine C utile contre les virus et les bactéries. Il contient également des caroténoïdes, que l'organisme transforme en vitamine A antioxydante et anticancéreuse, et des vitamines B nécessaires aux muscles, au système nerveux et au tonus. Il contient aussi des fibres importantes pour la santé des systèmes digestif et cardiaque.

> **Le fruit de la passion contient des substances susceptibles de soulager la dépression et l'anxiété.**

NUTRIMENTS : vitamines B2, B3, C, bêtacarotène ; fer, magnésium, phosphore, zinc ; fibres.

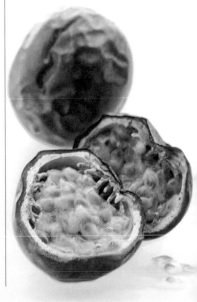

SORBET AU FRUIT DE LA PASSION *Pour 4 personnes*

10 cl d'eau
125 g de sucre roux
40 cl de fruit de la passion réduit en pulpe

Dans une grande casserole, faites chauffer l'eau et le sucre à feu doux en remuant jusqu'à dissolution du sucre. Portez à ébullition, puis réduisez le feu et laissez mijoter 1 minute. Retirez du feu et laissez refroidir. Une fois le mélange refroidi, incorporez le fruit de la passion. Placez dans un bac en plastique et faites durcir au congélateur. Remuez avant de servir.

Banane

NUTRIMENTS : vitamines B3, B5, B6, C, biotine ; magnésium, manganèse, potassium ; fibres.

Le plus connu des fruits tropicaux contient des sucres lents capables de donner un coup de fouet.

La banane est riche en vitamines B, dont l'organisme a besoin pour produire de l'énergie. La vitamine B5 participe à la formation des cellules tueuses du système immunitaire, tandis que la vitamine B6 améliore la capacité d'élimination des déchets de l'organisme. La banane est également une bonne source de vitamine C immunostimulante. Elle contient du manganèse, qui, en combinaison avec la vitamine C, produit une substance antivirale, l'interféron. Elle est riche en fibres et en potassium. Ce dernier assure l'équilibre des fluides et de la fonction nerveuse.

BANANES GRILLÉES AU SIROP DE CITRON VERT

Pour 2 personnes

115 g de sucre roux
le jus et le zeste de 2 citrons
 verts
10 cl d'eau
4 bananes coupées
 en rondelles

Dans une casserole, versez la moitié du sucre, le jus et le zeste de jus de citron vert, et l'eau. Portez à ébullition, puis laissez épaissir à feu doux pendant 10 min. Disposez les bananes sur une feuille d'aluminium, saupoudrez avec le reste de sucre et faites-les griller jusqu'à ce qu'elles soient dorées et fondantes en les tournant de temps à autre. Arrosez de sirop et servez.

Raisin

Ce fruit doux et juteux est un excellent diurétique naturel.

NUTRIMENTS : vitamines B3, B6, biotine ; potassium, sélénium, zinc ; anthocyanines, acide ellagique.

Le raisin est riche en anthocyanines. Ces antioxydants consolident les capillaires et sont donc excellents pour la circulation et le cœur. Sa forte teneur en antioxydants facilite l'élimination des radicaux libres nuisibles. Le raisin est donc un puissant détoxicant pour la peau, le foie, les reins et les intestins. Il stimule les défenses immunitaires en évitant les réactions allergiques. Il contient également de l'acide ellagique anticancéreux.

Le raisin noir est beaucoup plus riche en anthocyanines que le raisin blanc.

JUS DE RAISIN *Pour 1 ou 2 personnes*

20 grains de raisin épépinés
6 branches de céleri
1 poignée de cresson

Passez tous les ingrédients les uns après les autres à la centrifugeuse. Mélangez et buvez immédiatement.

Pomme

NUTRIMENTS : vitamine C ; acide malique, flavonoïdes ; fibres.

Riche en fibres, la pomme a une action diurétique. Elle aide l'organisme à éliminer les toxines.

La pomme doit essentiellement son action diurétique à sa teneur en pectine, une variété de fibres qui absorbe le cholestérol, les toxines et les métaux lourds et accélère leur excrétion. Elle contient de la quercétine, un flavonoïde capable de soulager les réactions allergiques et les problèmes inflammatoires tels que l'arthrite. Elle contient aussi de l'acide malique, qui aide l'organisme à mieux utiliser l'énergie. Les études ont montré que la consommation de pommes peut stimuler la fonction pulmonaire.

POMMES AU FOUR *Pour 2 personnes*

60 g de beurre doux
4 c. à c. de raisins de Corinthe
4 c. à c. de sucre roux
4 c. à c. d'amandes effilées
1 c. à c. de cannelle en poudre
1 c. à c. de muscade
   en poudre
2 pommes à cuire pelées
   et évidées
2 c. à s. de fromage frais

Préchauffez le four à 180 °C (thermostat 4). Dans un saladier, mélangez tous les ingrédients de la farce. Divisez ce mélange en 2 et garnissez les pommes. Enveloppez chaque pomme dans une feuille d'aluminium et faites cuire 20 min. Servez nappé de fromage blanc.

036

Mangue

Considérée par beaucoup comme le meilleur des fruits tropicaux, la mangue est également une mine de nutriments.

La mangue est une excellente source de bêtacarotène, précurseur de la vitamine A antivirale. Elle est également riche en vitamine C essentielle au bon fonctionnement du système immunitaire. Ce fruit exotique, de plus en plus consommé, est l'un des rares fruits contenant de la vitamine E, un important antioxydant qui participe à la lutte contre les radicaux libres et stimule l'action des anticorps.

NUTRIMENTS : vitamines B3, C, E, bêtacarotène ; fibres.

La mangue est délicieuse en dessert, mais aussi dans des plats sucrés-salés.

BOISSON À LA MANGUE
Pour 2 personnes

1 mangue pelée, dénoyautée et coupée en tranches
1/2 ananas frais pelé, évidé et coupé en dés
10 fraises équeutées
75 ml de jus d'ananas
75 ml de yaourt nature

Passez tous les ingrédients à la centrifugeuse jusqu'à ce que le mélange soit homogène et crémeux. Servez immédiatement.

Citron

NUTRIMENTS : vitamine C, folates ; potassium ; limonène ; fibres.

Le plus utile de tous les fruits est une mine de bienfaits pour la santé.

Pour éviter que les fruits tels que les pommes ou les bananes ne brunissent une fois épluchés, arrosez-les de jus de citron.

À l'instar des autres agrumes, le citron est une mine de vitamine C antioxydante, immunostimulante et indispensable à une peau et à des gencives saines. Il contient du limonène, une substance qui freine l'évolution du cancer, et possède des vertus antiseptiques – c'est l'une des raisons pour lesquelles il est traditionnellement utilisé en gargarisme contre les maux de gorge. Le citron a également des propriétés antifongiques.

VINAIGRETTE AU ZESTE DE CITRON

5 cl de jus de citron
175 ml de jus de tomate frais
1 gousse d'ail écrasée
1 c. à c. de moutarde
   à l'ancienne
le zeste de 1 citron finement râpé

Mélangez tous les ingrédients, sauf le zeste de citron, dans un bocal et remuez soigneusement. Versez dans un bol et ajoutez le zeste en remuant avec une fourchette. Versez immédiatement sur une salade.

038

Orange

Cet agrume universellement apprécié regorge de vitamines immunostimulantes.

L'orange est l'une des plus grandes sources de vitamine C, essentielle à une solide immunité, à la lutte contre les virus et les bactéries et à la production de cellules résistantes aux maladies. Elle contient aussi du bêtasitostérol, un phytostérol utile à la prévention des tumeurs et à la réduction du cholestérol. Elle contient également de la vitamine B5 immunostimulante et des fibres nécessaires à la santé cardiaque et digestive.

NUTRIMENTS : vitamines B3, B5, C, caroténoïdes, folates ; bêtasitostérol, potassium ; fibres.

CRÊPES À L'ORANGE
Pour 4 personnes

1 œuf
15 cl de lait écrémé
70 g de farine
2 oranges
une noix de beurre doux
1 c. à s. de sucre roux
4 c. à s. de yaourt nature

Battez l'œuf et le lait, puis incorporez la farine et le zeste d'une orange. Pelez les oranges et découpez-les en quartiers. Mettez-les dans une casserole. Ajoutez le sucre et faites cuire à feu doux pendant 2 min. Faites fondre un peu de beurre dans une poêle, puis faites cuire quatre crêpes en les faisant dorer de chaque côté. Servez avec les oranges et le yaourt.

Pamplemousse

NUTRIMENTS : vitamine C, bêtacarotène, folates ; potassium ; lycopène ; flavonoïdes ; fibres.

Ce fruit au goût acidulé possède des vertus détoxicantes et immunostimulantes.

Le pamplemousse est originaire des Antilles et s'est répandu dans le reste du monde au XVIIIᵉ siècle. Il existe différentes variétés, notamment le jaune au goût acidulé, et le rose, plus sucré.

LES PROPRIÉTÉS IMMUNOSTIMULANTES DU PAMPLEMOUSSE

Le pamplemousse tout entier est un puissant dépuratif. Sa forte teneur en vitamine C stimule l'immunité et la croissance des tissus. Sa chair et sa peau contiennent des composés freinant l'évolution du cancer. Sa pulpe est riche en pectine, une fibre soluble qui combat le cholestérol et la constipation en favorisant l'élimination des toxines et des déchets. Ses pépins contiennent un composé antifongique qui peut être consommé en complément alimentaire sous forme d'extrait de pépins.

PRÉPARATION DU PAMPLEMOUSSE

Si vous n'aimez pas son acidité, préférez le pamplemousse rose, plus riche en bêtacarotène. Le pamplemousse est délicieux nature, coupé en deux, ou en jus, seul ou mélangé à d'autres fruits tels que la pomme ou la framboise. Attention, une fois pressé, il perd ses fibres.

BLOC-NOTES

• Le jus de pamplemousse peut renforcer l'action de certains médicaments, notamment des somnifères. Demandez conseil à votre médecin.

• La peau blanche qui se situe sous l'écorce et sépare les quartiers serait particulièrement riche en pectine. Mangez-la pour faire profiter votre cœur de tous les bienfaits du pamplemousse.

• Le parfum du pamplemousse coupe l'appétit et améliore l'humeur – versez quelques gouttes d'huile essentielle de pamplemousse dans un mouchoir et respirez.

PAMPLEMOUSSE FARCI *Pour 4 personnes*

2 pamplemousses coupés en 2, évidés et coupés en dés
1 avocat pelé, dénoyauté et coupé en dés
1 morceau (2,5 cm) de gingembre frais râpé
1 poire pelée, épépinée

et coupée en dés
1 poivron vert épépiné et émincé
2 olives noires dénoyautées et coupées en 2
2 c. à s. de citronnelle fraîche ciselée

Mélangez la chair du pamplemousse avec l'avocat, le gingembre, la poire et le poivron vert et répartissez ce mélange entre les quatre moitiés de pamplemousse. Décorez avec les olives et la citronnelle, puis servez.

040

Citron vert

Riche en vitamine C, la chair acidulée du citron vert est un puissant immunostimulant.

Le citron vert est très riche en vitamine C. Cet immunostimulant possède de puissantes vertus antivirales et favorise la production de phagocytes chargés d'éliminer les intrus et de lutter contre les bactéries. La vitamine C assure aussi l'équilibre du système immunitaire et soulage les réactions allergiques. Le citron vert est également une bonne source de folates nécessaires à la formation de l'ADN et à la fonction de reproduction. Il contient des fibres qui combattent le cholestérol et préviennent les maladies cardiaques.

JUS D'AGRUMES
Pour 1 ou 2 personnes

2 oranges
1 pamplemousse
1 citron
1 citron vert

Pelez et coupez les fruits en tranches. Passez-les au presse-agrumes et buvez immédiatement.

Le citron vert peut accélérer le processus naturel de guérison de l'organisme.

Fraise

Dans l'Antiquité, les Romains appréciaient ce délicieux fruit d'été pour ses vertus thérapeutiques.

Une portion moyenne de fraises fournit deux fois l'apport quotidien recommandé en vitamine C. La fraise est également riche en fibres indispensables à la santé cardiaque et digestive. Elle contient de l'acide ellagique, un composé végétal qui nous aide à lutter contre le cancer et à détruire certaines des toxines provenant de la fumée de cigarettes et de la pollution atmosphérique. Sa vitamine B permet de renforcer le système nerveux, de lutter contre les problèmes de stress et de mieux résister aux maladies.

NUTRIMENTS : vitamines B3, B5, C ; flavonoïdes ; acide ellagique ; fibres.

La fraise aide la peau à conserver son élasticité en favorisant la production de collagène.

BOISSON À LA FRAISE
Pour 2 personnes

150 g de fraises fraîches, équeutées
1 banane pelée et coupée en rondelles
1 yaourt nature
15 cl de lait de soja non sucré
feuilles de menthe fraîche pour décorer

Passez tous les ingrédients à la centrifugeuse pour obtenir un liquide homogène. Servez dans des verres hauts en décorant de feuilles de menthe.

042

Myrtille

NUTRIMENTS : vitamines B2, C, E, bêtacarotène, folates ; anthocyanines, acide ellagique, tanins ; fibres.

Ces baies juteuses que l'on cueille en altitude sont excellentes pour la santé.

En Amérique du Nord, la myrtille est utilisée depuis des siècles par les Indiens pour ses vertus thérapeutiques. Son goût est voisin de celui du cassis, l'âcreté en moins. Les myrtilles sont souvent servies cuites et sucrées, mais, pour profiter pleinement de leurs bienfaits sur la santé, mieux vaut les manger crues.

LES PROPRIÉTÉS IMMUNOSTIMULANTES DE LA MYRTILLE

Une part de myrtilles procure la même quantité d'antioxydants que cinq parts de brocoli, de pomme ou de carotte. Les études ont classé les myrtilles devant tous les autres fruits et légumes en matière d'antioxydants. L'un d'eux, l'acide ellagique, prévient l'évolution du cancer. La myrtille contient également des anthocyanines, des antioxydants qui renforcent des vaisseaux capillaires, améliorent la circulation et favorisent le transport des nutriments dans l'organisme – probablement l'une des raisons pour lesquelles la myrtille peut améliorer la vision et protéger contre la démence, les maladies et les crises cardiaques. Elle a une action anti-inflammatoire et elle est riche en tanins, qui combattent la bactérie à l'origine des infections urinaires.

PRÉPARATION DE LA MYRTILLE

Mangez des myrtilles trois ou quatre fois par semaine pour profiter pleinement de son action immunostimulante. Elles se mangent crues à tout moment de la journée, ou avec du yaourt nature et des noix pour un petit déjeuner léger. Mélangées à d'autres baies et à un peu de crème, elles composent un délicieux dessert.

BLOC-NOTES

• Les Indiens d'Amérique et les premiers colons européens utilisaient la racine de myrtille comme décontractant pendant les accouchements. Ils traitaient également la toux au jus de myrtille et buvaient des infusions de feuilles pour purifier le sang.

• Les myrtilles colorent la langue en bleu car elles contiennent de l'anthocyanine, un pigment antioxydant soluble dans l'eau.

• Une fois cuites, les myrtilles perdent une bonne partie de leur vitamine C, mais conservent leurs flavonoïdes.

BOISSON À LA MYRTILLE *Pour 2 ou 3 personnes*

250 g de myrtilles **125 g de framboises ou autres** **fruits rouges** **125 ml de yaourt nature**	Passez tous les ingrédients à la centrifugeuse et servez. Pour une boisson rafraîchissante, ajoutez quatre glaçons dans la centrifugeuse.

Cerise

NUTRIMENTS : vitamine C ; potassium ; anthocyanines, acide ellagique.

Ce succulent fruit d'été est un puissant détoxicant. Il favorise la prévention du cancer.

Comme bien d'autres fruits, la cerise contient de l'acide ellagique – un composé qui bloque une enzyme dont se nourrissent les cellules cancéreuses. La cerise est également riche en anthocyanines, des antioxydants que l'organisme utilise pour fabriquer des substances pour lutter contre les maladies. Elle contient également de la vitamine C immunostimulante et contribue ainsi à la lutte contre les virus et les bactéries. Elle possède aussi des propriétés anti-inflammatoires qui soulagent l'arthrite rhumatoïde et la goutte.

> Les infusions de queues de cerise sont un remède traditionnel contre les cystites.

CERISES GLACÉES AU CHOCOLAT *Pour 2 à 4 personnes*

**200 g de cerises avec les queues
100 g de chocolat noir supérieur fondu**

Trempez les cerises une à une dans le chocolat et disposez-les sur une plaque graissée. Laissez durcir le chocolat.

Framboise

Cette baie moelleuse et parfumée est une puissante alliée contre les infections, le cancer et les maladies cardiaques.

NUTRIMENTS : vitamines B3, C, biotine, folates ; fer, manganèse ; anthocyanines ; fibres.

La framboise est l'un des fruits les plus riches en fibres, qui combattent le cholestérol, favorisent la digestion et purifient l'organisme. Elle est riche en vitamine C anti-infectieuse et en manganèse. Comme les autres baies, elle est riche en anthocyanines, puissants antioxydants qui aident l'organisme à fabriquer des cellules pour lutter contre les intrus. La framboise possède aussi des vertus anticancéreuses, notamment contre les cancers de la bouche, de la gorge et du côlon.

Les framboises se conservent très mal. L'idéal est de les manger le jour de leur achat.

GRATIN DE FRAMBOISES
Pour 4 personnes

400 g de framboises
300 g de yaourt nature
1 c. à c. d'essence de vanille
6 c. à c. de sucre roux

Répartissez les framboises dans quatre ramequins. Mélangez l'essence de vanille et le yaourt, puis nappez les fruits avec ce mélange. Saupoudrez de sucre, puis faites caraméliser sous le gril très chaud pendant 2 min ou jusqu'à ce que le sucre soit croustillant. Laissez refroidir, puis servez.

NUTRIMENTS : vitamine C ; fer ; tanins.

Airelle

Cette baie acidulée est riche en vitamine C antioxydante, ce qui fait d'elle un excellent immunostimulant.

JUS DE CANNEBERGE

Pour 2 personnes

200 g de canneberges
le jus de 2 oranges
le jus de 1 pamplemousse
2 bananes moyennes
glaçons

Passez tous les ingrédients à la centrifugeuse et servez avec des glaçons dans des verres hauts.

L'airelle, ou sa cousine nord-américaine la canneberge, possède des propriétés antibactériennes naturelles. Elle est surtout connue pour soigner et prévenir les cystites. Les tanins condensés qu'elle contient empêcheraient les bactéries de se fixer aux parois urinaires. Riche en vitamine C, elle prévient les rhumes et la grippe. Faute de fruits frais, achetez des airelles ou des canneberges séchées, en jus ou en extrait. Pour un maximum de bienfaits, buvez un verre de jus de canneberge ou 800 mg d'extrait de canneberge par jour.

Buvez si possible du jus de canneberge non sucré, car le sucre affaiblit le système immunitaire.

Cynorhodon

Ce petit fruit plein de vitamine C est un solide allié contre le rhume et la grippe.

NUTRIMENTS : vitamine C, caroténoïdes ; fibres.

Le cynorhodon est le fruit du rosier et de l'églantier. Il apparaît sur les buissons après la floraison. À poids égal, il contient vingt fois plus de vitamine C que l'orange. Il est donc très utile pour résister aux infections telles que le rhume, car il stimule l'action nettoyante des phagocytes (globules blancs) et élimine les bactéries. Le cynorhodon est également riche en pectine, une fibre qui absorbe le cholestérol et les toxines et les élimine de l'organisme.

SIROP D'ÉGLANTIER
Pour 1 bouteille

125 g de cynorhodons
50 cl d'eau
125 g de sucre roux

Placez les cynorhodons et l'eau dans une casserole, portez à ébullition, puis laissez refroidir. Filtrez plusieurs fois à travers une mousseline pour éliminer les graines, les grosses fibres et la pulpe. Portez le liquide filtré à ébullition, ajoutez le sucre et laissez réduire d'environ un tiers à feu doux. Laissez refroidir, puis versez dans une bouteille stérilisée.

Pendant la Seconde Guerre mondiale, les Britanniques faisaient boire du sirop d'églantier aux enfants pour prévenir les carences en vitamine C.

Noisette

Riche en huiles saines et savoureuses, la noisette est un en-cas très nourrissant.

NUTRIMENTS : vitamines B1, B3, B6, E, folates ; fer, calcium, magnésium, manganèse, potassium ; acides gras oméga 9 ; protéines.

La noisette est particulièrement riche en acides gras oméga 9 bons pour la santé. Elle contient également de bonnes quantités de vitamine E, un antioxydant qui protège l'organisme contre les méfaits de la pollution et des toxines, et de vitamine B6 nécessaire à la fabrication de la cystine, un acide aminé essentiel au système immunitaire. La noisette est également riche en minéraux importants tels que le fer et le calcium, ainsi qu'en protéines.

La noisette contient un acide aminé qui peut réveiller les boutons de fièvre. Évitez d'en manger si vous y êtes sujet.

BEURRE DE NOISETTE *Pour un petit bol*

300 g de noisettes
2 c. à s. d'huile de tournesol
1 c. à c. de sucre roux

Étalez les noisettes décortiquées sur une grille et faites-les cuire 20 min à four chaud jusqu'à ce que la peau se craquelle. Sortez-les du four et retirez la peau en les frottant dans un torchon, puis passez-les au mixeur avec 1 c. à s. d'huile jusqu'à obtenir une pâte épaisse. Incorporez le reste d'huile et le sucre. Mixez à nouveau pour obtenir une pâte homogène.

Noix

La noix est une mine de nutriments au goût subtil.

La noix contient du glutathion, un important antioxydant qui favorise le développement des cellules immunitaires, les lymphocytes. Elle est riche en acide alpha-linoléique (acide gras oméga 6) qui lutte contre le cholestérol et stimule le système cardiaque. Ses vitamines B sont bonnes pour le tonus et le cerveau. Sa forte teneur en vitamine E fait aussi d'elle un bon allié pour la peau.

NUTRIMENTS : vitamines B1, B2, B3, B5, B6, E, folates ; calcium, fer, sélénium, zinc ; glutathion ; acides gras oméga 6 et 9.

SALADE DE PÂTES AUX NOIX *Pour 4 personnes*

4 c. à s. de noix pilées
350 g de pâtes complètes (torsades) cuites
3 grosses tomates coupées en quartiers
1 poignée de roquette
2 c. à s. de basilic frais
1 gousse d'ail écrasée
4 c. à s. d'huile de noix
2 c. à s. de vinaigre balsamique

Dans un grand saladier, mélangez tous les ingrédients, sauf l'ail, l'huile et le vinaigre, que vous mélangez à part avant d'en arroser la salade. Servez immédiatement.

Manger 25 g de noix par jour suffit à couvrir la moitié des besoins quotidiens en acide alpha-linoléique.

Noix de cajou

NUTRIMENTS : vitamines B2, B3, B5, B6, biotine, folates ; iode, fer, magnésium, manganèse, potassium, sélénium, zinc ; protéines.

Cette graine de l'anacardier du Brésil est riche en graisses utiles contre le cholestérol.

La noix de cajou est riche en vitamines B nécessaires à la bonne santé des nerfs et des tissus musculaires et à une meilleure résistance au stress. Elle contient également des minéraux indispensables au système immunitaire, notamment le sélénium, un antioxydant essentiel à la production d'anticorps, et le zinc, nécessaire pour combattre les virus et les cellules cancéreuses. La noix de cajou contient également des graisses mono-insaturées – qui ont démontré leur efficacité dans la lutte contre le cholestérol.

La noix de cajou est une bonne source de protéines. Elle est parfaite à grignoter et permet d'éviter les fringales.

FRUITS ROUGES À LA CRÈME DE CAJOU *Pour 4 personnes*

150 g de noix de cajou décortiquées
10 cl d'eau
1 c. à c. de cannelle
2 c. à s. de miel liquide
200 g de framboises
200 g de fraises équeutées et coupées en 2

Passez les noix et l'eau au mixeur pour obtenir une pâte homogène, puis ajoutez la cannelle et le miel et mixez soigneusement le tout. Répartissez les fruits dans quatre coupelles, nappez de crème de cajou et servez.

050

Pignon

Riche en protéines et en minéraux, cette graine aromatique participe à la prévention des maladies.

En plus d'être riche en zinc, un antioxydant immunostimulant, le pignon contient beaucoup d'acides gras poly-insaturés anti-inflammatoires qui combattent le cholestérol et protègent le cœur. Il est riche en vitamine E, qui protège l'organisme contre la pollution et les toxines et renforce les anticorps du système immunitaire. C'est également une bonne source de magnésium, réputé calmer les réactions allergiques.

NUTRIMENTS : vitamines B1, B2, B3, E ; fer, magnésium, manganèse, zinc ; protéines.

Enrichissez vos salades et vos fricassées de légumes en protéines en les saupoudrant de pignons.

BRUSCHETTA AU POIVRON ROUGE *Pour 4 personnes*

4 poivrons rouges épépinés et émincés
1 gousse d'ail écrasée
1 c. à s. de vinaigre balsamique
5 c. à s. d'huile d'olive
1 miche de pain complet coupée en tranches épaisses
200 g de fromage de chèvre
55 g de pignons grillés

Faites griller les poivrons puis placez-les dans un saladier avec l'ail, le vinaigre et 4 c. à s. d'huile. Arrosez les tranches de pain avec le reste d'huile, puis faites-les dorer des deux côtés à four chaud. Garnissez chaque tranche de fromage de chèvre, de poivrons et de pignons.

Noix du Brésil

NUTRIMENTS : vitamines B1, E, biotine ; calcium, fer, magnésium, sélénium, zinc ; acides gras oméga 6 ; glutathion, fibres, protéines.

Riche en sélénium antioxydant, la noix du Brésil est l'une des noix les plus nourrissantes.

La noix du Brésil pousse à l'état sauvage dans la forêt amazonienne, où les tribus indiennes la considéraient comme sacrée. Elle est l'amande d'un fruit aux allures de noix de coco. Les noix poussent en grappes. Une fois mûres, les coques tombent au sol. On en retire les amandes – jusqu'à 24 dans une même coque – que l'on fait sécher au soleil avant de les laver pour les exporter.

LES PROPRIÉTÉS IMMUNOSTIMULANTES DE LA NOIX DU BRÉSIL

Cette noix est l'une des sources les plus riches de sélénium, un antioxydant qui renforce la réaction des anticorps du système immunitaire et protège contre le cancer, les maladies cardiaques et le vieillissement prématuré. C'est un composant clé de l'action du glutathion, une enzyme qui élimine les radicaux libres et freine l'évolution des tumeurs. La noix du Brésil est riche en vitamine E, qui, avec le sélénium, stimule le système immunitaire. Elle contient aussi d'autres minéraux importants, dont le magnésium et le fer, et elle est riche en acides gras oméga 6 essentiels pour soulager les inflammations, favoriser la digestion et embellir la peau.

UTILISATION DE LA NOIX DU BRÉSIL

La noix du Brésil est riche en protéines. Une poignée de noix crues calme l'appétit. On peut les mixer pour faire du lait ou du beurre aux noix, ou en ajouter à des légumes sautés ou à des salades pour les enrichir en protéines croustillantes.

BLOC-NOTES

• La noix du Brésil est une source de revenu vitale pour la population de la forêt amazonienne, d'où elle est principalement exportée vers l'Amérique du Nord et l'Europe.

• La saveur de la noix du Brésil est proche de celle de la noix de coco, et sa texture est onctueuse.

• Une fois récoltées, les coques fibreuses et ligneuses qui renferment les amandes servent de pièges pour les animaux.

• Riche en lipides, la noix du Brésil rancit très vite et ne se conserve pas longtemps. Comme toutes les noix et les graines, elle se garde mieux au réfrigérateur.

HARICOTS VERTS SAUTÉS AUX NOIX DU BRÉSIL *Pour 4 personnes*

2 c. à s. d'huile de sésame
1 oignon émincé
1 c. à s. de gingembre frais râpé
2 gousses d'ail écrasées
200 g de pointes d'asperge
200 g de haricots verts
100 g de noix du Brésil effilées
2 c. à s. de sauce de soja

Dans un wok, faites chauffer l'huile de sésame à feu vif, puis ajoutez l'oignon, le gingembre et l'ail. Faites sauter 2 min, puis ajoutez les pointes d'asperge, les haricots verts et les noix du Brésil. Poursuivez la cuisson encore 5 min, puis ajoutez la

sauce de soja. Réduisez le feu et faites cuire à feu doux jusqu'à ce que les asperges et les haricots soient tendres – entre 8 à 10 min. Servez immédiatement sur un lit de riz brun.

Pistache

NUTRIMENTS : vitamines B1, B3, E ;
magnésium, manganèse,
potassium, calcium ; acides gras
oméga 6 ; protéines.

Cette amande d'un vert pâle très caractéristique
est délicieuse à grignoter et riche en minéraux
bons pour la santé.

La pistache contient du calcium, un antiviral dont nous avons
besoin pour activer l'action des phagocytes. Elle est riche en
magnésium, qui aide le corps à assimiler le calcium et soulage les
réactions allergiques. Elle contient aussi beaucoup de graisses
mono-insaturées nutritives, ainsi que de la vitamine E utile à la
détoxication de l'organisme. Elle est également riche en vitamines
B essentielles à la bonne santé des nerfs et des tissus musculaires.

SALADE À LA PISTACHE
Pour 4 personnes

1 gousse d'ail écrasée
1 c. à c. de moutarde de Dijon
1 c. à s. de vinaigre
   balsamique
le jus de 1 orange
100 g de cresson
100 g de roquette
1 pomme verte épépinée
   et coupée en dés
8 c. à s. de noix de pistache
   décortiquées

Dans un saladier, préparez la
sauce en mélangeant l'ail, la
moutarde, le vinaigre
balsamique et le jus d'orange,
puis réservez. Disposez
le cresson et la roquette
sur les assiettes. Saupoudrez de
dés de pomme et de pistaches et
arrosez de sauce avant de servir.

053

Amande

Cette noix à l'arôme puissant contient des huiles saines et des nutriments tonifiants.

L'amande est l'une des premières sources de vitamine E (24 mg pour 100 g), un antioxydant aux vertus anticancéreuses. Elle contient également du calcium antiviral et du laetrile, un puissant composé anticancéreux. Elle est riche en zinc, qui renforce les défenses immunitaires et favorise la cicatrisation. Riche en graisses mono-insaturées nutritives, elle est aussi une alliée contre le cholestérol.

NUTRIMENTS : vitamines B2, B5, E, biotine ; calcium, fer, magnésium, phosphore, potassium, zinc ; laetrile ; acides gras oméga 6.

L'amande est excellente pour la peau car elle fournit de la vitamine E et du zinc, tous deux essentiels à une peau saine.

BOISSON À L'AMANDE ET À LA BANANE
Pour 2 personnes

150 g d'amandes blanchies
2 petites bananes
50 cl d'eau
1 pincée de cannelle
2 c. à c. d'essence de vanille
2 c. à c. de miel

Passez les amandes, les bananes et l'eau à la centrifugeuse jusqu'à obtenir un mélange homogène. Ajoutez l'essence de vanille, le miel et la cannelle, puis mixez de nouveau avant de servir.

Graine et huile de tournesol

NUTRIMENTS : vitamines E, B1, B2, B3 ; calcium, cuivre, magnésium, manganèse, fer, sélénium, zinc ; acides gras oméga 6 ; protéines.

Cette graine savoureuse et son huile sont une mine de bienfaits pour la santé.

La graine de tournesol contient des minéraux immunostimulants, notamment du magnésium, qui calme les réactions allergiques, et du zinc, un puissant antiviral. Elle est également riche en vitamine E, un antioxydant qui prévient les dommages causés par les toxines et veille à la bonne santé de la peau et des tissus cellulaires. Sa teneur en vitamine B fait d'elle un bon antistress. L'huile de tournesol est une graisse poly-insaturée. Ne la faites jamais chauffer et utilisez uniquement de l'huile de pression à froid.

MUESLI *Pour 4 personnes*

125 g de flocons d'avoine
2 c. à s. de dattes hachées
2 c. à s. d'abricots secs hachés
1 c. à s. de noix de pécan hachées
1 c. à s. d'amandes effilées
1 c. à s. de graines de tournesol
1 c. à s. de graines de lin
1 c. à s. de germe de blé
1 c. à s. de son
2 pommes pelées, épépinées et émincées
lait de soja

Mélangez tous les ingrédients secs dans un saladier et couvrez avec les pommes. Servez avec du lait de soja.

L'huile de tournesol est très utile en cuisine et idéale en assaisonnement.

Graine de courge

La graine de courge est plus riche en fer
que n'importe quelle autre graine.

Les graines de courge sont une bonne source d'acides gras
oméga 3 et 6 essentiels au bon fonctionnement du système
immunitaire, ainsi qu'à la bonne santé de la peau, à la
coagulation, à la digestion et au système nerveux. Elles sont
également riches en vitamines B indispensables pour lutter
contre le stress et ses conséquences sur l'immunité. Elles
contiennent aussi bien d'autres minéraux immunostimulants,
notamment deux antioxydants, le sélénium et le zinc.

NUTRIMENTS : vitamines B1, B2, B3 ;
fer, magnésium, phosphore,
potassium, sélénium, zinc ; acides
gras oméga 3 et 6 ; protéines.

Les graines
de courge sont
une bonne source
de protéines.
Elles favorisent
la régulation des taux
de sucre
dans le sang.

YAOURT GREC AUX POIRES *Pour 2 personnes*

2 poires mûres émincées
20 cl de yaourt grec
3 c. à s. de graines de courge
1 c. à s. de graines
de tournesol
1 c. à s. de miel liquide

Répartissez les poires
dans 2 bols et nappez
de yaourt. Saupoudrez
de graines, puis arrosez
de miel et servez.

NUTRIMENTS : vitamine E ; phytostérols ; acides gras oméga 6.

Huile de carthame

Cette huile légère et dorée est extraite du carthame, une plante originaire d'Orient.

L'huile de carthame est riche en vitamine E, un antioxydant qui prévient le cancer, veille à la santé de la peau et purifie l'organisme. Elle contient aussi des phytostérols, substances végétales qui combattent le cholestérol et préviennent les maladies et les crises cardiaques. Elle est riche en acides gras oméga 6, que l'organisme transforme en prostaglandines, qui à leur tour régulent le système immunitaire et évitent les réactions allergiques, mais aussi fluidifient le sang, soulagent les inflammations, améliorent le fonctionnement des systèmes nerveux et cérébral, et favorisent la régulation des taux de sucre dans le sang. C'est une graisse poly-insaturée. Ne la faites pas chauffer et n'utilisez que des huiles de pression à froid.

VINAIGRETTE À L'HUILE DE CARTHAME *Pour un petit bol*

5 cl de vinaigre de vin blanc
2 c. à c. de moutarde de Dijon
sel de mer et poivre
15 cl d'huile de carthame

Mélangez vigoureusement le vinaigre, la moutarde, le sel et le poivre dans un bol. Incorporez lentement l'huile et fouettez. Utilisez immédiatement ou conservez dans un bocal. Remuez soigneusement avant de servir.

Huile d'onagre

Cette huile florale apaisante stabilise
les hormones et améliore la santé de la peau.

L'huile d'onagre est l'une des plus riches sources directes
connues d'acide gamma-linoléique, un acide gras oméga 6.
Dans l'organisme, il est transformé en prostaglandines,
substances proches des hormones, qui régulent le système
immunitaire, fluidifient le sang, combattent les inflammations
et améliorent les systèmes nerveux et musculaire. Augmenter
le niveau de prostaglandines de l'organisme peut également
soulager les symptômes du syndrome polymétabolique. L'huile
d'onagre est également riche en vitamine E. Cette dernière est
bonne pour la peau et soulage certains maux tels que l'eczéma.

NUTRIMENTS : vitamine E ; acide
gamma-linoléique; acides gras
oméga 6.

SAUCE DE SALADE À L'HUILE D'ONAGRE *Pour un petit bol*

1 c. à s. de vinaigre balsamique	3 c. à s. d'huile d'onagre
3 c. à s. de jus de citron	1 pincée de piment de Cayenne
1 c. à c. de moutarde à l'ancienne	sel de mer
1 c. à s. de persil frais ciselé	Mixez le vinaigre, la moutarde,
1 c. à s. de ciboulette fraîche ciselée	les herbes et l'ail jusqu'à obtenir un mélange homogène. Puis
1 gousse d'ail émincée	incorporez l'huile petit à petit jusqu'à obtenir un mélange
1 c. à c. d'origan	crémeux. Assaisonnez
1 c. à s. de basilic déshydraté	de piment de Cayenne et de sel.

Graine et huile de sésame

NUTRIMENTS : vitamines B1, B2, B3, E ; calcium, fer, zinc, acides gras oméga 6 et 9.

Ces minuscules graines enrichissent toutes sortes de plats sucrés et salés en goût et en nutriments essentiels.

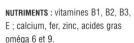

Enrichissez vos salades et vos boissons en protéines en les agrémentant de graines de sésame.

Les graines de sésame sont légèrement croquantes et ont un goût de noisette. Elles sont précieuses pour la santé et se déclinent sous différentes formes, notamment l'huile de sésame, qui ne rancit que rarement, et le tahin, purée de sésame. Elles sont riches en zinc immunostimulant, en vitamine E antioxydante, en vitamines B bonnes pour le système nerveux et contre le stress, et en acides gras oméga 6 bons pour la peau et la circulation. C'est aussi une source de protéines pour les végétariens.

LÉGUMES SAUTÉS AU SÉSAME *Pour 4 personnes*

3 c. à s. d'huile d'olive
25 g de graines de sésame
25 g de gingembre frais pelé
    et haché
2 gousses d'ail écrasées
1/2 tête de brocoli coupée
    en petits bouquets
3 carottes coupées en fines
    lamelles
1/2 chou coupé en lanières

Dans un wok, faites chauffer l'huile et faites légèrement brunir les graines de sésame. Ajoutez le gingembre et l'ail, puis les autres ingrédients. Mélangez soigneusement. Réduisez à feu doux, laissez cuire 5 à 10 min, puis servez.

Haricot aduki

Ce haricot au goût de noisette, baptisé "roi des haricots" au Japon, est une mine de nutriments tonifiants.

Riche en fibres, le haricot aduki accélère l'élimination des déchets et aide l'organisme à se purifier. Il contient de bonnes quantités de vitamines B nécessaires à la production constante d'énergie et à la réparation des tissus. C'est une bonne source de protéines indispensables à la formation des muscles et à la santé de la peau. Il est également riche en minéraux immunostimulants tels que le zinc antiviral, le calcium et le magnésium.

Le haricot aduki est aussi connu sous les noms de haricot adsuki ou azuki.

NUTRIMENTS : vitamines B1, B2, B3 ; calcium, magnésium, manganèse, zinc ; fibres, protéines.

CASSOLETTE DE HARICOTS ADUKI
Pour 2 personnes

1 oignon rouge émincé
2 c. à s. d'huile d'olive
1 poivron rouge émincé
1 branche de céleri émincée
2 carottes émincées
2 grosses tomates concassées
200 g de haricots aduki mis à tremper depuis la veille
1 gousse d'ail écrasée
1 c. à c. de cumin en poudre
1 c. à c. de graines de fenouil
1 c. à c. de coriandre en poudre
60 cl de bouillon de légumes

Dans un wok, faites dorer et ramollir l'oignon à feu doux dans l'huile d'olive. Ajoutez le poivron, le céleri, les carottes et les tomates, puis faites revenir 2 min. Ajoutez les haricots, l'ail et les épices. Mélangez, incorporez le bouillon et laissez mijoter 30 min. Servez avec du riz brun.

Flocons d'avoine

NUTRIMENTS : vitamines B1, B2, B3, B5, E, folates ; fer, magnésium, sélénium, silicium, zinc ; flavonoïdes ; fibres, protéines.

Les flocons d'avoine sont un aliment nourrissant porteur d'une foule de bienfaits pour la santé.

Les flocons d'avoine sont riches en vitamine E immunostimulante et contiennent des flavonoïdes appelés avenanthramides – puissants antioxydants qui combattent le cholestérol et jouent un rôle dans la prévention du cancer, en particulier le cancer du côlon. Riches en fibres, ils ont une action diurétique. Ils sont également riches en silicium, un minéral anti-inflammatoire qui apaise le système digestif. Pleins de vitamines B, ils soulagent le stress et peuvent faciliter la perte de poids car ils libèrent leur énergie lentement, évitant ainsi les fringales.

Les flocons d'avoine peuvent soulager l'eczéma – quand vous faites couler un bain, nouez un sachet de flocons d'avoine autour du robinet de la baignoire.

PORRIDGE AUX FRUITS *Pour 2 personnes*

85 cl de lait de soja nature
150 g de flocons d'avoine
1 c. à c. de cannelle
1 petite banane émincée
200 g de myrtilles
2 c. à s. d'amandes effilées

Versez le lait de soja et les flocons d'avoine dans une casserole et faites cuire 5 min à feu doux en remuant régulièrement. Ajoutez la cannelle et la banane. Versez dans deux bols. Servez saupoudré de myrtilles et d'amandes effilées.

Germe de blé

Cette minuscule graine de blé est étonnamment riche en nutriments essentiels.

NUTRIMENTS : vitamines B1, B2, B3, B5, B6, E, folates ; fer, magnésium, manganèse, sélénium, zinc ; fibres.

Niché à l'intérieur du grain de blé, le germe de blé est riche en vitamine E, un antioxydant qui contribue à purifier l'organisme en neutralisant les radicaux libres. C'est aussi une excellente source de vitamines B nécessaires pour lutter contre les maladies et assurer la bonne santé des nerfs et des membranes muqueuses. Très riche en fibres, le germe de blé stimule le système digestif et combat le cholestérol.

Si vous êtes allergique au blé ou au gluten, évitez le germe de blé.

BOISSON AU GERME DE BLÉ ET AU MIEL *Pour 1 personne*

20 cl de lait de soja
55 g de yaourt nature
125 g de fraises équeutées
1 grosse banane mûre
1 c. à c. de germe de blé
2 c. à c. de miel liquide

Passez tous les ingrédients au mixeur et servez immédiatement.

Boulgour

NUTRIMENTS : vitamines B1, B2, B3 ; cuivre, fer, magnésium, phosphore ; protéines, fibres.

Cette céréale à base de blé germé riche en minéraux remplace avantageusement le riz.

Le boulgour est un blé concassé riche en fibres utiles à la digestion et à la diminution du cholestérol. C'est aussi une bonne source de vitamines B, qui aident l'organisme à lutter contre les intrus, maintiennent des niveaux d'énergie stables et veillent à la bonne santé du système nerveux. Il contient également des minéraux, dont le fer, nécessaire à une meilleure résistance aux infections.

FEUILLES DE VIGNE FARCIES AU BOULGOUR

Pour 4 personnes

10 cl d'eau bouillante
150 g de boulgour
1 petit oignon émincé
3 c. à c. d'huile d'olive
1 c. à c. de graines de cumin
60 g de tofu râpé
6 tomates séchées émincées
1 c. à c. de menthe fraîche
    ciselée
1/2 c. à c. de jus de citron
poivre noir
16 feuilles de vigne blanchies 5
    min

Versez l'eau sur le boulgour et laissez reposer 20 min. Dans une casserole, faites dorer l'oignon dans l'huile, puis ajoutez les graines de cumin. Retirez du feu et ajoutez le boulgour, le tofu, les tomates séchées, la menthe, le jus de citron et le poivre. Répartissez le mélange sur les feuilles de vigne, roulez et fermez avec une pique à olives. Faites cuire 20 min à la vapeur et servez.

Le boulgour est déconseillé aux personnes allergiques au blé ou au gluten.

Quinoa

Baptisée « graine nourricière » par les Incas, cette céréale en forme de perle est une mine de nutriments.

Souvent qualifié d'« aliment parfait », le quinoa est une protéine complète. Il contient les huit acides aminés essentiels, qualité extrêmement rare dans le monde végétal. C'est aussi une bonne source de vitamine E, un antioxydant nécessaire aux processus de guérison de l'organisme. Il contient aussi un certain nombre de minéraux immunostimulants, dont le zinc, indispensable à la glande thyroïde – l'organe régulateur de la production de cellules immunitaires.

La teneur en fibres du quinoa fait de lui un allié pour la digestion et contre la constipation.

NUTRIMENTS : vitamines B2, B3, E ; fer, calcium, magnésium, zinc ; saponines ; fibres, protéines.

QUINOA PILAF
Pour 4 personnes

85 cl d'eau
350 g de quinoa
15 cl d'huile d'olive
450 g de gombos coupés en fines rondelles
3 c. à s. de purée de tomates
1 oignon émincé
2 gousses d'ail écrasées
2 c. à c. de graines de cumin
1 c. à c. de poivre noir
60 g de coriandre fraîche ciselée

Faites bouillir l'eau dans une casserole. Ajoutez le quinoa, portez à nouveau à ébullition et laissez cuire 15 min. Égouttez. Faites chauffer l'huile dans un wok, ajoutez les gombos et faites revenir 3 min. Incorporez les autres ingrédients, sauf la coriandre, et faites revenir 5 min. Réduisez le feu et faites cuire encore 10 min. Incorporez le quinoa et la coriandre et servez.

Riz

NUTRIMENTS : vitamines B1, B3, folates ; fer, magnésium, manganèse, phosphore, cuivre, zinc ; glucides complexes, fibres, protéines.

> Préférez toujours le riz brun, plus riche en nutriments que le riz blanc raffiné.

La deuxième céréale la plus cultivée au monde est une mine de nutriments.

Le riz brun est riche en vitamines B nécessaires aux systèmes cérébral et nerveux. Sa teneur en protéines favorise la formation de muscles, de peau et de cheveux. C'est aussi une bonne source de zinc et d'oligoéléments tels que le magnésium, le phosphore et le cuivre, tous favorisant une meilleure résistance aux infections. Sa forte teneur en fibres est excellente pour le système digestif et contre le cholestérol, d'où son importance pour la santé cardiaque. Ce glucide complexe libère son énergie lentement. Il est idéal contre les fringales.

SALADE DE RIZ BRUN *Pour 1 ou 2 personnes*

55 g de riz brun cuit et froid
2 petits oignons blancs émincés
4 tomates coupées en quartiers
100 g d'olives noires dénoyautées et coupées en deux
2 gousses d'ail écrasées
3 c. à s. de basilic frais

grossièrement ciselé
3 c. à s. d'huile d'olive

Mélangez tous les ingrédients dans un grand saladier. Laissez reposer hors du réfrigérateur pendant 1 h pour que toutes les saveurs se mêlent, puis servez.

Maïs

Cet aliment de base est particulièrement riche en vitamines immunostimulantes.

En boîte ou surgelé, le maïs doux conserve la plupart de ses nutriments.

Le maïs à grains est transformé en farine. Le plus nutritif est le maïs doux. Il est assez riche en vitamine C indispensable pour se défendre contre les virus et les bactéries. C'est une excellente source de fibres, qui combattent le cholestérol et préviennent les maladies cardiaques. On y trouve aussi des folates, nécessaires à la santé du système reproducteur, et d'autres vitamines B utiles pour avoir du tonus et résister au stress.

NUTRIMENTS : vitamines A, B3, B5, C, bêtacarotène, folates ; magnésium, zinc ; fibres.

BEIGNETS DE MAÏS
Pour 2 personnes

115 g de farine de blé complet
2 œufs
30 cl de lait
2 c. à s. de coriandre fraîche ciselée
225 g de maïs doux, frais ou en conserve
poivre noir
2 c. à s. d'huile d'olive

Battez la farine, les œufs et le lait pour obtenir une pâte homogène, puis ajoutez la coriandre, le maïs et le poivre. Dans une poêle, faites chauffer l'huile d'olive, partagez la pâte en 8 petits pâtés que vous faites dorer des deux côtés avant de servir.

066

Haricot cornille

NUTRIMENTS : vitamines B1, B2, B3, biotine, folates ; calcium, fer, magnésium, manganèse, sélénium, zinc ; fibres, protéines.

Ce haricot très nutritif est un ingrédient essentiel de la cuisine créole et cajun.

Le haricot cornille (ou à œil noir) contient du zinc, un antioxydant nécessaire au développement des cellules anti-infectieuses de l'organisme. Il contient aussi du sélénium, autre antioxydant essentiel à la production d'anticorps et à la prévention du cancer. Il est riche en vitamines B tonifiantes, notamment en folates, indispensables à la bonne santé des organes reproducteurs. C'est aussi une bonne source de protéines utiles à la formation de muscles et à la vitalité, et de fibres nécessaires à la santé digestive et cardiaque.

RIZ AUX HARICOTS CORNILLES *Pour 4 personnes*

5 oignons blancs émincés
2 c. à c. d'huile d'olive
350 g de haricots cornilles
   cuits
2 c. à s. d'eau
jus de 1 citron vert
1/2 c. à c. de piment
1/2 c. à c. de cumin
2 c. à s. de coriandre fraîche
   ciselée

150 g de riz basmati cuit
poivre noir

Faites dorer les oignons à feu doux. Ajoutez tous les ingrédients, sauf le riz, remuez et faites chauffer 2 min. Incorporez le riz, poivrez et faites revenir encore 2 min. Servez immédiatement.

Haricot rouge

Très consommé en Amérique du Sud, ce haricot doux est riche en protéines, en vitamines et en minéraux.

Le haricot rouge est riche en folates, une vitamine B importante pour la santé des organes reproducteurs et une bonne cicatrisation. C'est une excellente source de protéines nécessaires au maintien d'une énergie constante. Il est riche en fibres indispensables à la diminution du cholestérol et à la digestion. Il contient aussi du fer – essentiel à la production d'anticorps et de globules blancs.

NUTRIMENTS : folates ; potassium, fer, manganèse ; fibres, protéines.

CASSOLETTE DE HARICOTS ROUGES
Pour 2 personnes

2 c. à s. d'huile d'olive
400 g de haricots rouges en boîte
3 grosses tomates bien mûres concassées
1 poivron rouge émincé
1 oignon haché
2 gousses d'ail écrasées
1 courgette coupée en rondelles
100 g de champignons de Paris émincés
2 c. à c. de basilic frais ciselé
1 c. à c. de sel de mer

Dans une grande casserole, faites chauffer l'huile et dorer l'oignon. Ajoutez le poivron, la courgette, les champignons, les tomates et l'ail. Faites cuire 5 min en remuant, puis incorporez les haricots rouges et couvrez d'eau. Ajoutez le basilic, salez, couvrez et laissez mijoter jusqu'à ce que les légumes soient tendres. Servez accompagné de riz brun.

Cru, le haricot rouge est très toxique. Consommez-le toujours cuit ou en conserve.

Haricot blanc

NUTRIMENTS : vitamines B3, B5, folates ; fer, manganèse, potassium, zinc ; fibres, protéines.

Ce haricot doux et farineux est riche en vitamines B. C'est aussi une bonne source de protéines.

Le haricot blanc est riche en vitamine B5, un important immunostimulant qui aide l'organisme à produire des anticorps pour résister aux maladies. C'est également une bonne source de folates, autre vitamine B essentielle à la bonne santé des organes reproducteurs. Il est riche en minéraux et contient du manganèse antiviral, ainsi que du fer et du zinc immunostimulants.

HARICOTS À L'ORIENTALE
Pour 4 personnes

1 oignon émincé
1 c. à c. de cannelle en poudre
2 c. à s. d'huile d'olive
500 g de haricots blancs cuits
   ou en conserve
1 c. à c. de sel
poivre noir
1/2 c. à c. de piment doux
40 cl d'eau
200 g de tomates concassées
   en conserve
4 gousses d'ail écrasées
jus de 1/2 citron
1 poignée de persil frais
   grossièrement ciselé

Faites revenir l'oignon et la cannelle dans l'huile, puis ajoutez les haricots, le sel, le poivre, le piment et l'eau. Portez à ébullition, puis réduisez le feu et laissez mijoter 15 min. Incorporez les tomates, l'ail et le jus de citron et laissez mijoter encore 5 min. Servez garni de persil.

Les haricots blancs sont bons pour la peau et les cheveux.

Lentille

Cette modeste légumineuse est l'un des aliments les plus anciens et l'ingrédient de base de nombreux pays. Elle est riche en antioxydants.

La lentille est riche en vitamines B immunostimulantes qui aident l'organisme à lutter contre les bactéries et les autres intrus. Elle contient des minéraux eux aussi importants pour l'immunité, notamment du sélénium antioxydant et du fer essentiel à un sang en bonne santé. À l'instar des autres légumineuses, elle contient des substances anticancéreuses et des phytœstrogènes. Elle possède aussi des vertus tonifiantes et, étant riche en fibres, elle est bonne pour la santé cardiaque et digestive.

NUTRIMENTS : vitamines B3, B5, B6, folates ; calcium, fer, magnésium, manganèse, potassium, sélénium, zinc ; fibres, protéines.

SALADE CHAUDE DE LENTILLES *Pour 4 personnes*

300 g de lentilles vertes
5 cl d'huile d'olive
2 oignons émincés
1 gousse d'ail écrasée
1 poivron rouge finement émincé
1 courgette finement émincée
1 carotte coupée en fines rondelles
1 branche de céleri finement ciselée
2 grosses tomates bien mûres épépinées et concassées
2 c. à s. de vinaigre balsamique
1 c. à s. de menthe fraîche finement ciselée

Faites cuire les lentilles dans l'eau bouillante pendant 10 min jusqu'à ce qu'elles soient tendres, puis égouttez-les. Dans un wok, faites chauffer l'huile et revenir les légumes jusqu'à ce qu'ils soient tendres. Retirez du feu, incorporez les lentilles, le vinaigre et la menthe, mélangez soigneusement et servez.

Les lentilles vertes et brunes sont plus riches en nutriments que les rouges.

Pois chiche

NUTRIMENTS : vitamines B2, B3, B5, E, folates ; fer, potassium, zinc ; fibres, protéines.

Cette légumineuse nourrissante a un goût de noisette et une texture étonnamment crémeuse.

Le pois chiche contient des inhibiteurs de protéase qui stoppent l'action destructrice de l'ADN des cellules cancéreuses. Il est riche en vitamine E antioxydante, qui stimule l'action anti-infectieuse des globules blancs, et en zinc nécessaire au bon développement des cellules. Le pois chiche est également une bonne source d'isoflavones, composés végétaux transformés dans les intestins en une substance qui mime l'action des œstrogènes, aidant à prévenir les maladies hormonales telles que le syndrome polymétabolique et le cancer du sein. Riche en fibres et en flavonoïdes, il stimule le système digestif et la baisse du cholestérol.

HOUMMOUS AU POIVRON ROUGE *Pour 1 bol*

400 g de pois chiches (en conserve, prétrempés ou germés de 3 jours)
2 gousses d'ail écrasées
3 c. à s. de tahin
le jus de 3 gros citrons
2 c. à c. de sauce tamari
1 poivron rouge émincé

Passez tous les ingrédients au mixeur pour obtenir une pâte homogène. Ajoutez un peu d'eau si le mélange est trop épais. Trempez-y des galettes d'avoine ou des bâtonnets de légumes crus, ou servez en assaisonnement de salade. L'hoummous se conserve jusqu'à 3 jours au réfrigérateur.

Les pois chiches germés sont plus riches en nutriments que les pois chiches en conserve.

Haricot vert

Le haricot vert est riche en vitamines et en minéraux utiles pour lutter contre les maladies.

À l'instar des autres légumes, le haricot vert est pauvre en lipides et riche en fibres solubles, d'où son importance pour la santé cardiaque. Il est riche en vitamines B nécessaires au développement des phagocytes qui combattent les intrus. Il contient aussi du bêtacarotène, que l'organisme transforme en vitamine A anticancéreuse. C'est également une bonne source de manganèse nécessaire à la production d'interféron, une substance antivirale.

Choisissez-le frais et ferme pour un maximum de nutriments.

NUTRIMENTS : vitamines B3, folates, bêtacarotène ; fer, manganèse ; fibres.

SALADE DE HARICOTS ET DE RIZ *Pour 4 personnes*

- 250 g de riz arborio cuit et froid
- 150 g de haricots verts
- 1 botte d'asperges coupées en petits tronçons
- 200 g de haricots rouges en conserve égouttés
- 1 poivron rouge finement émincé
- 20 olives vertes dénoyautées et coupées en 2
- 3 c. à s. de persil frais ciselé
- 3 c. à s. de menthe fraîche ciselée
- 5 oignons blancs émincés
- 3 c. à s. de vinaigre de vin blanc
- 2 c. à s. d'huile d'olive

Faites cuire les haricots verts et les asperges *al dente* à la vapeur. Une fois refroidis, mettez-les dans un saladier avec le riz. Mélangez bien, puis ajoutez le reste des ingrédients et laissez reposer 1 h avant de servir.

Graine de soja

NUTRIMENTS : vitamines B2, B6, E, folates ; calcium, fer, magnésium, manganèse, potassium, zinc ; isoflavones ; inhibiteurs de protéase.

Cet aliment universel possède des vertus thérapeutiques, notamment pour prévenir les maladies, en particulier le cancer.

La graine de soja est probablement la plus nutritive de toutes les légumineuses. On la trouve sous de nombreuses formes – germe, tofu, tempeh, yaourt, farine, lait, miso et sauce de soja. Au Japon, d'où il est originaire, c'est un aliment traditionnel. Face au faible taux de certains cancers dans ce pays, les chercheurs se sont penchés sur ses propriétés.

LES PROPRIÉTÉS IMMUNOSTIMULANTES DE LA GRAINE DE SOJA

La graine de soja contient des isoflavones, des phytœstrogènes capables de reproduire les effets des œstrogènes dans l'organisme. Elle peut soulager les symptômes de la ménopause, notamment les bouffées de chaleur. Des études ont montré que les isoflavones contribuent à la prévention des maladies hormonales telles que les cancers du sein et de la prostate. Elle contient des inhibiteurs de protéase, qui ont eux aussi une action de prévention du cancer, de la vitamine E, un antioxydant qui protège les cellules contre les dommages causés par les radicaux libres, et des vitamines B, qui protègent le système nerveux et aident l'organisme à affronter le stress.

PRÉPARATION DE LA GRAINE DE SOJA

Les graines crues sont longues à préparer. Il est plus facile d'utiliser du tofu et du lait de soja, où la plupart des nutriments sont intacts. Le tofu peut se substituer à la viande ou au poisson, tandis que le lait et les yaourts au soja remplacent avantageusement les produits laitiers.

BLOC-NOTES

• Le soja est souvent génétiquement modifié. Choisissez-le bio ou garanti sans OGM.

• Les graines de soja contiennent plus de protéines que les produits laitiers, le cholestérol en moins.

• Les personnes allergiques au soja peuvent réagir à des aliments tels que les cacahuètes, les pois chiches, les haricots blancs, le froment, le seigle et l'orge.

• Le soja est l'un des rares aliments d'origine végétale qui regroupe la totalité des 8 acides aminés essentiels.

• Les Japonais apprécient les jeunes graines de soja fraîches, qu'ils font bouillir et servent entières en hors-d'œuvre ou en snack.

TOFU SAUTÉ *Pour 4 personnes*

1 c. à s. de sauce de soja **1 c. à s. de basilic frais finement ciselé** **1 c. à s. de persil frais finement ciselé** **2 c. à s. d'huile d'olive** **2 oignons blancs émincés** **225 g de tofu doux émietté**	Dans un bol, mélangez la sauce de soja et les herbes. Dans une poêle, faites chauffer l'huile d'olive et faites dorer les oignons. Incorporez le tofu, puis le mélange soja-herbes. Faites revenir 3 min, puis servez sur du pain de seigle.

Pois gourmand

NUTRIMENTS : vitamines B1, B2, B3, B5, C, bêtacarotène, biotine ; calcium, fer ; fibres.

Ces jeunes cosses à la saveur délicate et sucrée offrent de nombreux bienfaits pour la santé.

Riche en vitamines B, le pois gourmand participe à la vitalité et à la construction des tissus nerveux et musculaires. Il contient de la vitamine B5 immunostimulante et de la vitamine C antioxydante. C'est aussi une bonne source de fibres utiles pour lutter contre le cholestérol et stimuler la digestion.

POIS GOURMANDS SAUTÉS *Pour 4 personnes*

2 c. à s. d'huile de sésame
600 g de tofu ferme coupé
    en dés
25 g de beurre
2 gousses d'ail écrasées
2 piments rouges épépinés
    et finement ciselés
2 c. à c. de gingembre frais
    râpé
750 g de pois gourmands
2 c. à s. de sauce de soja

Dans un wok, faites chauffer la moitié de l'huile et faites brunir le tofu. Réservez. Ajoutez le reste d'huile et le beurre et faites revenir l'ail, le piment et le gingembre. Incorporez les pois et faites-les revenir jusqu'à ce qu'ils soient tendres. Rajoutez le tofu en mélangeant soigneusement, incorporez la sauce de soja et servez.

Aussi appelé haricot mange-tout, le pois gourmand s'apprête comme le petit pois.

074

Dinde

Souvent réservée aux grandes occasions, la dinde est une viande nutritive et bonne pour la santé au quotidien.

NUTRIMENTS : vitamines B3, B6, B12 ; fer, sélénium, zinc ; protéines.

La dinde est une excellente source de protéines pauvre en lipides. Elle est riche en zinc immunostimulant sous une forme facilement assimilable par l'organisme. Elle contient également du sélénium, qui participe à la réparation des cellules ADN et réduit les risques de cancer. Elle est riche en vitamines B nécessaires au système nerveux et importantes pour conserver de faibles niveaux d'homocystéine dans le sang. Cette substance toxique issue de la décomposition des acides aminés a un lien avec les maladies cardiaques.

La cuisse de dinde contient deux fois plus de fer et trois fois plus de zinc que le blanc.

SANDWICH DE DINDE *Pour 1 personne*

1/2 avocat
2 tranches de pain complet
feuilles d'épinard fraîches
tranches de dinde cuite
1 oignon blanc finement
   émincé
1 tomate coupée en rondelles
moutarde à l'ancienne
   (facultatif)

Retirez la chair de l'avocat et étalez-la comme du beurre sur le pain. Disposez les épinards et les morceaux de dinde sur l'avocat et couvrez d'oignon, de tomate et de moutarde si vous le souhaitez. Refermez le sandwich et mangez immédiatement.

Pintade

NUTRIMENTS : vitamines B3, B6, B12 ; fer ; protéines.

Cette viande riche en protéines est également une mine de nutriments.

Ce petit gibier à plume originaire d'Afrique occidentale est une bonne source de protéines pauvres en lipides. Elle est assez riche en vitamine B6 nécessaire à la synthèse de la cystéine, un important acide aminé, et à l'élimination des déchets par l'organisme. Comme toutes les viandes, la pintade contient de la vitamine B12 nécessaire au système nerveux, et du fer, indispensable au sang.

> **Préférez de la pintade bio car les volailles issues d'élevages intensifs sont pauvres en nutriments.**

PINTADE AUX HERBES *Pour 2 personnes*

- 1 c. à s. de persil frais ciselé
- 1 c. à s. d'estragon frais ciselé
- 2 blancs de pintade
- sel de mer et poivre noir
- 2 c. à c. d'huile d'olive

Faites préchauffer le four à 200 °C (thermostat 6). Glissez les herbes ciselées sous la peau de la pintade et assaisonnez. Dans une poêle, faites chauffer l'huile d'olive et dorer les blancs de pintade 2 min de chaque côté, puis faites-les cuire 8 min au four.

Faisan

Riche en vitamines B et en protéines, le faisan est une bonne source d'énergie.

Le faisan est de loin le gibier à plume le plus complet. Il est plus riche en lipides que beaucoup d'autres viandes, mais ce sont essentiellement des graisses mono-insaturées bonnes pour la santé. Il est également assez riche en nutriments. Il est donc utile d'en consommer de temps à autre. Il contient aussi de la vitamine B6 nécessaire à la production de phagocytes indispensables à la bonne santé des cellules de l'organisme, et des vitamines B2, B3 et B12 essentielles au système nerveux et au tonus. C'est aussi une excellente source de minéraux immunostimulants, de fer et de zinc. Toutefois, le faisan étant riche en purines, il est déconseillé aux personnes sujettes à la goutte.

Le faisan est originaire de Chine.

NUTRIMENTS : vitamines B2, B3, B6, B12 ; fer, potassium, zinc ; protéines.

FAISAN SAUTÉ
Pour 2 personnes

2 blancs de faisan sans peau
2 c. à s. d'huile de sésame
150 g de champignons de Paris émincés
1 poivron rouge émincé
1 oignon finement émincé
2 c. à c. de sauce tamari

Coupez les blancs de faisan en gros dés que vous faites dorer à feu doux dans l'huile d'olive. Ajoutez l'oignon, le poivron et les champignons, et faites revenir 6 min jusqu'à ce que les légumes soient tendres et le faisan cuit. Ajoutez la sauce tamari et servez accompagné de riz brun ou de nouilles.

Canard

NUTRIMENTS : vitamine B2 ; fer, zinc ; protéines.

Délicieux rôti ou sauté, le canard est une excellente source de vitamine B2 antistress.

Le canard est une volaille savoureuse et très populaire en plus d'être une formidable source de nutriments immunostimulants. Il est riche en cholestérol et pauvre en graisses saturées. Un blanc de canard sans peau est plus maigre qu'un blanc de poulet sans peau. Sa chair procure les protéines et le fer nécessaires à la réparation des tissus et à la fabrication de nouvelles cellules. Manger du canard vous aidera également à combattre le stress, car sa chair contient de la vitamine B2 et favorise la production de cellules immunitaires anti-infectieuses.

Le canard fut d'abord apprivoisé en Chine, où les œufs de cane sont très appréciés.

CANARD LAQUÉ AU MIEL ET À LA MOUTARDE *Pour 2 personnes*

1 c. à s. de miel liquide
1 c. à s. de moutarde
   à l'ancienne
2 blancs de canard sans peau
2 têtes de chou chinois (bok choi) coupées en lanières
huile
110 g de riz brun cuit

Préchauffez le four à 190 °C (thermostat 5). Dans un bol, préparez la marinade avec le miel et la moutarde. Badigeonnez-en les blancs de canard, que vous placez dans un plat légèrement huilé et que vous arrosez avec le reste de marinade. Couvrez

et faites cuire 20 min au four. Pendant ce temps, faites revenir le bok choi dans un peu d'huile. Une fois le canard cuit, laissez-le reposer quelques minutes avant de le servir avec le riz et le bok choi.

Poulet

Cette volaille universellement appréciée procure une foule de bienfaits pour la santé.

Le poulet est une source de sélénium, un antioxydant anti-infectieux souvent absent de l'alimentation. Il contient de la lysine, un acide aminé antiviral utile contre les boutons de fièvre. Ses vitamines B3 et B6 sont bonnes pour le système nerveux. C'est une source de protéines pauvres en lipides si l'on ne mange pas la peau. Il favorise le développement et la réparation des cellules de l'organisme.

NUTRIMENTS : vitamines B3, B6 ; potassium, sélénium ; lysine ; protéines.

CASSOLETTE DE POULET AUX ZESTES D'ORANGE
Pour 4 personnes

3 c. à s. d'huile d'olive
2 oignons émincés
8 cuisses de poulet sans peau
1 c. à s. de farine
30 cl de bouillon de légumes
le zeste râpé de 1 orange
le jus de 2 oranges
15 cl de vin blanc
100 g de champignons
  de Paris émincés
sel et poivre

Dans une poêle, faites chauffer 2 c. à s. d'huile d'olive et faites revenir les oignons 10 min. Réservez sur une assiette. Roulez le poulet dans la farine préalablement salée et poivrée, faites chauffer le reste d'huile et faites dorer le poulet. Ajoutez le bouillon, les oignons, le jus et les zestes d'orange et le vin blanc. Portez à ébullition, réduisez le feu, couvrez et laissez mijoter 25 min, puis incorporez les champignons et faites cuire 5 min. Servez avec du riz.

Thon frais

NUTRIMENTS : vitamines B3, B6, B12, D, E ; iode, sélénium ; acides gras oméga 3.

Ce poisson est riche en oméga 3 et en minéraux immunostimulants.

Le thon contient de la vitamine E et du sélénium, tous deux nécessaires à la production d'anticorps, ainsi que de nombreuses vitamines B tonifiantes. À l'instar des autres poissons gras, il est riche en oméga 3, une famille d'acides gras essentiels qui protègent contre les maladies cardiaques, le cancer et la dépression. Les oméga 3 équilibrent le système immunitaire et limitent les réactions allergiques. Leur action anti-inflammatoire leur permet de soulager certains maux tels que l'arthrite rhumatoïde et l'eczéma.

> Préférez le thon frais au thon en boîte, car la mise en conserve détruit les oméga 3.

THON À LA NIÇOISE *Pour 4 personnes*

le jus de 1 citron
1/2 c. à c. de sel
1 c. à c. de moutarde de Dijon
5 c. à s. d'huile d'olive
1 pincée de poivre noir
4 tranches de thon
4 pommes de terre de taille moyenne cuites et coupées en rondelles

120 g de haricots verts
120 g de salades mélangées
4 tomates coupées en quartiers
1 poignée d'olives noires

Mélangez le jus de citron, le sel, la moutarde, l'huile d'olive et le poivre noir. Disposez les steaks de thon sur un grand plat

et arrosez-les avec cette vinaigrette. Laissez mariner 1 h au réfrigérateur, puis faites griller 4 à 6 min. Dans un grand saladier, mélangez tous les légumes et assaisonnez avec le reste de vinaigrette. Disposez les tranches de thon sur la salade, puis servez.

Saumon

Le saumon est riche en graisses indispensables à la bonne santé du système immunitaire.

Le saumon est une excellente source d'oméga 3. Ces acides gras régulent l'activité des globules blancs et ont une action anti-inflammatoire. Ils agissent également sur le cholestérol et les graisses, protégeant le système cardio-vasculaire et réduisant le risque de maladie cardiaque et autres troubles circulatoires. Le saumon contient de nombreux antioxydants, notamment de la vitamine A utile aux systèmes sanguin et nerveux ; de la vitamine D indispensable à l'absorption du calcium et à la santé des os ; et du sélénium – un puissant antioxydant qui stimule la production d'anticorps.

NUTRIMENTS : vitamines A, B12, D, folates ; sélénium ; acides gras oméga 3.

CROQUETTES DE SAUMON
Pour 2 personnes

- **2 petits filets de saumon sans peau ni arêtes**
- **4 petites pommes de terre pelées et coupées en rondelles**
- **2 c. à s. d'huile d'olive**
- **1 oignon finement émincé**
- **1 œuf battu**
- **1 poignée de persil frais ciselé**

Faites cuire le saumon au four ou à la vapeur pendant 20 min. Faites bouillir les pommes de terre, puis écrasez-les en purée. Faites ramollir l'oignon dans 1 c. à s. d'huile. Mélangez tous les ingrédients (sauf l'huile) et formez 8 petites galettes de poisson. Placez-les 1 h au réfrigérateur. Faites-les frire des deux côtés dans le reste d'huile. Elles doivent être croustillantes. Servez.

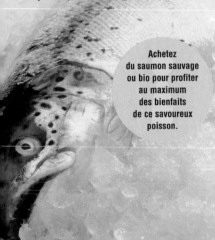

Achetez du saumon sauvage ou bio pour profiter au maximum des bienfaits de ce savoureux poisson.

Maquereau

Le maquereau est une mine de nutriments. C'est l'un des meilleurs poissons pour la santé.

NUTRIMENTS : vitamines B3, B6, B12, D ; iode, potassium, sélénium ; acides gras oméga 3.

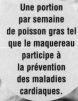

Une portion par semaine de poisson gras tel que le maquereau participe à la prévention des maladies cardiaques.

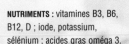

Le maquereau est une excellente source d'oméga 3. Ces acides gras combattent le cholestérol et préviennent le cancer et la dépression. Ils ont aussi un effet bénéfique sur les articulations et la peau. Le maquereau contient également de la vitamine B6, dont l'organisme a besoin pour fabriquer les acides aminés essentiels aux défenses immunitaires. C'est l'une des rares sources alimentaires de vitamine D indispensable au développement des os. Le maquereau est aussi riche en sélénium, un antioxydant essentiel aux défenses immunitaires.

MAQUEREAU AU FENOUIL *Pour 4 personnes*

- 2 bulbes de fenouil émincés
- 1 c. à s. d'huile d'olive
- 4 gousses d'ail
- 4 oranges pelées et coupées en rondelles
- 4 maquereaux frais levés en filets

Préchauffez le four à 200 °C (thermostat 6). Placez le fenouil et l'ail sur une plaque de four, arrosez d'huile d'olive et faites rôtir 15 min. Ajoutez les tranches d'orange et prolongez la cuisson de 5 min. Dans une poêle, faites frire le maquereau dans le reste d'huile pendant 5 min. Ajoutez les ingrédients rôtis, mélangez pendant 5 min, puis servez.

Anchois frais

Ce petit poisson gras et mince est une bonne source de protéines et d'acides gras oméga 3.

NUTRIMENTS : vitamines B2, B3, D ; calcium, fer, phosphore ; acides gras oméga 3 ; protéines.

L'anchois frais est riche en acides gras oméga 3, que l'organisme transforme en prostaglandines. Ces substances essentielles aux défenses immunitaires soulagent les inflammations, régulent le cholestérol et stimulent la bonne humeur. L'anchois est l'une des meilleures sources de vitamine D, dont nous avons besoin pour moduler l'activité du système immunitaire selon nos besoins et pour veiller à la santé des os. L'anchois contient aussi des protéines et des vitamines B – toutes deux nécessaires à la production d'énergie.

L'anchois est riche
en fer essentiel
au sang
et à sa circulation.

TARTINES AUX ANCHOIS *Pour 4 personnes*

4 tranches de pain de seigle
1 gousse d'ail écrasée
2 c. à s. d'huile d'olive
sel de mer et poivre noir
100 g de tomates cerises
en rondelles
55 g de filets d'anchois à
l'huile d'olive égouttés

Faites légèrement griller le pain de seigle des deux côtés. Mélangez l'huile et l'ail et badigeonnez-en les tartines grillées. Disposez les tomates et les anchois, assaisonnez, puis servez.

NUTRIMENTS : vitamines B3, B12 ; calcium, iode, magnésium, phosphore, potassium, sélénium, zinc ; protéines.

CREVETTES AU POIVRE

Pour 4 personnes

4 poivrons rouges épépinés et émincés
1 tomate concassée
2 gousses d'ail écrasées
2 c. à s. de persil frais ciselé
1 c. à s. de vinaigre de vin blanc
800 g de crevettes cuites
1 laitue iceberg

Disposez les poivrons sur un plat du four et faites-les cuire 10 min jusqu'à ce qu'ils soient tendres. Dans un saladier, mélangez-les à la tomate, à l'ail, au persil et au vinaigre. Coupez la laitue en lanières et garnissez-en 4 coupelles. Décortiquez les crevettes, répartissez-les dans les coupelles et garnissez de légumes.

Crevette

Le crustacé le plus populaire du monde est riche en nutriments immunostimulants.

La crevette est riche en minéraux immunostimulants tels que le zinc, dont nous avons besoin pour produire les enzymes de prévention du cancer et toutes les cellules de lutte contre les maladies. Ce crustacé contient aussi du sélénium, un puissant antioxydant qui stimule la production d'anticorps et améliore l'efficacité des globules blancs chargés d'identifier les intrus. C'est aussi une bonne source de protéines nécessaires à la formation de tissus sains et au tonus.

Huître

Les huîtres sont une mine de minéraux.

L'huître est très riche en deux minéraux immunostimulants : le zinc et le sélénium. C'est à eux que l'huître doit sa réputation d'aphrodisiaque. Le zinc, en particulier, est indispensable à la santé des organes reproducteurs et permet de mieux résister aux rhumes et autres maladies. Ce coquillage contient de la vitamine E, des acides gras oméga 3 bons pour le cœur et des vitamines B bonnes pour le cerveau. L'huître est aussi une source de vitamine D nécessaire à la santé des os et des dents.

NUTRIMENTS : vitamines B3, B12, D ; calcium, magnésium, sélénium, zinc ; acides gras oméga 3.

HUÎTRES PANÉES
Pour 4 personnes

16 huîtres
4 c. à s. de flocons d'avoine
poivre noir du moulin
55 g de beurre
le jus de 1 citron

Retirez les huîtres de leur coquille et égouttez-les sur du papier absorbant. Dans une assiette, versez les flocons d'avoine, poivrez-les et roulez-y délicatement les huîtres. Dans une poêle, faites fondre le beurre et faites revenir les huîtres 2 min, puis arrosez-les d'un peu de jus de citron et servez.

Il faut au moins trois ans pour élever une huître.

Yaourt

NUTRIMENTS : vitamines B2, B12 ; calcium, magnésium, phosphore, potassium ; cultures bactériennes.

Le yaourt est l'un des grands alliés de notre système immunitaire.

Préférez toujours les yaourts nature, car les yaourts aromatisés sont souvent riches en sucre et en arômes artificiels.

Le yaourt contient des bactéries amies (lactobacillus et bifidus), dont les intestins en bonne santé sont pleins. Le stress, les antibiotiques et une mauvaise alimentation peuvent laisser les bactéries « hostiles » prendre le dessus. Manger un yaourt par jour peut rétablir l'équilibre en aidant l'organisme à lutter contre les infections, tout en permettant aux intestins d'assimiler les autres nutriments immunostimulants. Le yaourt stimule également la production d'agents antiviraux qui renforcent les défenses immunitaires et préviennent le cancer. C'est aussi une excellente source de calcium. Souvent, les personnes qui ne supportent pas le lait tolèrent bien le yaourt.

YAOURT AUX POMMES *Pour 1 personne*

1 yaourt nature
2 c. à s. de graines de tournesol
1 pomme verte épépinée

Découpez la pomme en morceaux de la taille d'une bouchée et disposez-les dans une coupelle. Nappez de yaourt, parsemez de graines de tournesol et mangez immédiatement. Délicieux au petit déjeuner ou en-cas dans la journée.

Menthe poivrée

Cette variété de menthe à feuilles vert foncé
et forte en goût combat le rhume et la grippe.

NUTRIMENTS : vitamines B2, B3, C,
E, bêtacarotène, folates ; calcium,
fer, magnésium ; huiles volatiles.

La menthe poivrée contient du menthol, une huile volatile qui
soulage les rhumes et les infections
pulmonaires. Elle favorise également la
sécrétion de sucs digestifs, ce qui fait
d'elle un bon remède contre l'indigestion.
Elle a des vertus calmantes et anti-
inflammatoires. C'est aussi une
bonne source de fer nécessaire
au sang et de calcium
indispensable aux dents et
aux os.

PIPERADE *Pour 1 personne*

1 poivron jaune épépiné
  et émincé
1 oignon émincé
3 c. à s. d'huile d'olive
2 tomates moyennes coupées
  en quartiers
1 pincée de poivre de Cayenne
1 c. à s. de menthe fraîche
  finement ciselée
1 œuf

Faites revenir le poivron
et l'oignon dans l'huile à feu
doux jusqu'à ce que l'oignon
soit fondant et doré. Ajoutez
les tomates, le poivre
de Cayenne et la menthe.
Faites cuire 2 min en remuant,
puis cassez l'œuf sur les
légumes et laissez cuire.
Servez immédiatement.

Le menthol
purifie l'haleine.
Après avoir mangé
des aliments au goût
tenace, mâchez
une feuille
de menthe.

NUTRIMENTS : flavonoïdes, tanins, coumarin, acide valérianique.

Camomille

Réputée pour calmer les nerfs, la camomille est l'une des plantes médicinales les plus courantes.

La camomille contient des flavonoïdes antioxydants qui combattent les radicaux libres et protègent contre les infections et les maladies. L'un de ces flavonoïdes, la quercétine, possède de puissantes vertus anti-inflammatoires et favorise la digestion. La camomille est un sédatif doux. En infusion, elle facilite le sommeil et calme les nerfs sans nuire au système immunitaire.

INFUSION DU SOIR
Pour 1 tasse

2 c. à c. de camomille séchée
1 c. à c. de valériane
1 c. à c. de feuilles
de passiflore
miel liquide

Ébouillantez une théière et déposez-y les herbes mélangées. Versez 1 tasse d'eau bouillante. Laissez infuser 10 min, puis filtrez et versez dans une tasse. Sucrez avec du miel.

Soulagez vos yeux fatigués ou malades en utilisant des sachets de camomille infusés et froids en compresses.

088

Échinacée

Cette herbe est le premier des immunostimulants.

Réputée pour son action contre les rhumes et autres maladies, l'échinacée possède des agents actifs, dont l'échinacine, une substance qui empêche les microbes d'envahir les cellules. Cette herbe contient aussi des glycosides appelés échinacosides, sortes d'antibiotiques naturels. En plus de prévenir les rhumes, la grippe et autres infections, l'échinacée a une action antifongique. Elle stimule les défenses immunitaires et soulage les réactions allergiques.

NUTRIMENTS : échinacine, glycosides, huiles volatiles.

TISANE À L'ÉCHINACÉE ET AUX ORTIES *Pour 1 tasse*

- 2 c. à c. d'orties ciselées
- 1 c. à c. d'échinacée séchée
- 1 c. à c. de gaillet gratteron séché
- 1 c. à c. de thym séché
- 1 c. à c. de bourrache séchée
- 1 c. à c. de réglisse séchée

Mélangez les orties et les herbes dans une théière ébouillantée. Recouvrez d'eau bouillante et laissez infuser 10 min avant de boire.

L'hiver, l'échinacée vous aidera à mieux résister aux maladies.

Thym

NUTRIMENTS : bêtacarotène ; calcium, magnésium, manganèse ; flavonoïdes ; huiles volatiles.

Cet aromate méditerranéen au parfum entêtant est un formidable bouclier contre les maladies.

Le thym est riche en thymol, une puissante huile antiseptique utile pour combattre les infections du système respiratoire, notamment les bronchites, les laryngites et la coqueluche, ainsi que pour soulager les symptômes de l'asthme. Cette huile est aussi antispasmodique. Elle soulage les ballonnements et les irritations intestinales. Elle a une puissante action antifongique et combat la candidose. Elle peut aussi être utilisée comme compresse en traitement externe pour les infections fongiques de la peau.

POULET AU THYM
Pour 4 personnes

4 blancs de poulet sans peau
8 brins de thym frais
1 citron coupé en quartiers
1 c. à s. d'huile d'olive

Préchauffez le four à 200 °C (thermostat 5). Taillez une fente dans chaque blanc de poulet et farcissez de 2 brins de thym et de 1 rondelle de citron. Placez les blancs sur une plaque du four, arrosez d'huile et faites cuire 30 min. Servez avec du riz ou des pommes de terre.

Le thym est une herbe universelle. Elle se boit en infusion ou s'utilise en aromate.

Fleur de sureau

La fleur du sureau est un remède traditionnel contre la toux, le rhume et le rhume des foins.

La fleur de sureau est riche en flavonoïdes stimulants pour la circulation, notamment en rutine, qui tonifie les capillaires. Elle contient aussi de la choline, une vitamine B qui améliore le fonctionnement cérébral, et des glycosides, doués d'une puissante action thérapeutique. Elle favorise la transpiration, encourageant ainsi la détoxication, et améliore la résistance aux maladies. Elle est également utile contre la goutte et soulage les réactions allergiques.

NUTRIMENTS : vitamine C, flavonoïdes ; choline ; glycosides ; acides gras oméga 3 et 6 ; pectine ; tanins ; huiles volatiles.

INFUSION DE SUREAU
Pour 1 tasse

10 cl d'eau bouillante
1 c. à c. de miel
1 tête de fleurs de sureau
**   fraîches**
1 rondelle de citron vert
glaçons

Dans un bol, versez l'eau et le miel sur les fleurs de sureau et le citron vert. Couvrez et laissez refroidir, puis filtrez et servez avec des glaçons.

La fleur de sureau contient des substances qui luttent contre les rhumes chroniques.

Romarin

NUTRIMENTS : bêtacarotène ; calcium, fer, magnésium ; saponines ; flavonoïdes, huiles volatiles.

Cette herbe au parfum merveilleux et à la saveur intense procure toutes sortes de bienfaits pour la santé.

INFUSION APAISANTE AU ROMARIN *Pour 1 tasse*

- 1 c. à c. de romarin séché
- 1 c. à c. de marjolaine séchée
- 1 c. à c. de camomille séchée
- 1 c. à c. de menthe poivrée séchée

Mélangez soigneusement les herbes dans une théière. Versez une tasse d'eau bouillante, laissez infuser 10 min, filtrez puis buvez.

Le romarin est une herbe réputée pour son action sur la circulation. Il contient des flavonoïdes qui renforcent les vaisseaux capillaires. Il tonifie le cœur et la digestion. Il est riche en huiles bioactives douées d'une action antimicrobienne, d'où son utilité contre le rhume. Il contient des minéraux immunostimulants, notamment du fer. Il est également riche en saponines, des composés végétaux aux vertus détoxicantes.

Sauge

Derrière son arôme puissant et amer, la sauge est un remède végétal traditionnel.

La sauge a des vertus antibactériennes et anti-mucus. Elle combat les rhumes et les germes. En infusion ou en gargarisme, elle exerce une action antiseptique qui fait d'elle un excellent remède contre les gingivites et les angines. En fin de repas, une infusion de sauge prévient les indigestions et les ballonnements, car c'est une herbe antispasmodique. Mettez 1 cuillerée à café de sauge séchée dans une tasse et couvrez d'eau bouillie et refroidie. Laissez infuser 15 min, filtrez et buvez.

NUTRIMENTS : bêtacarotène ; calcium, magnésium ; flavonoïdes ; tanins, saponines ; huiles volatiles.

FARCE À LA SAUGE
Pour 4 personnes

225 g d'oignons
115 g de pain rassis
1 c. à c. de sauge séchée
sel, poivre noir

Faites gonfler le pain rassis dans du lait. Coupez les oignons en 4 et faites-les cuire dans de l'eau jusqu'à ce qu'ils soient tendres. Égouttez-les et hachez-les finement. Dans un saladier, mélangez-les au pain égoutté et à la sauge, salez et poivrez. Farcissez-en un poulet et faites-le rôtir au four.

La sauge a une action stimulante. Elle est déconseillée aux femmes enceintes et aux épileptiques.

Thé vert

NUTRIMENTS : vitamine C, flavonoïdes.

Le thé vert n'est pas une boisson comme les autres. C'est aussi une mine de puissants nutriments bons pour la santé.

Le thé vert provient de la même plante, la *Camellia sinensis*, que le thé noir, mais il a subi un traitement différent et a conservé intacts d'importants nutriments. Il est cultivé en altitude dans des pays chauds et humides, notamment au Japon, en Inde et en Chine, qui est le plus gros producteur. Les vertus thérapeutiques du thé vert sont reconnues depuis plus de quatre mille ans. Sa saveur est fraîche et astringente.

LES PROPRIÉTÉS IMMUNOSTIMULANTES DU THÉ VERT

Cette modeste boisson chaude est une mine de polyphénols – de puissants flavonoïdes antioxydants qui neutralisent les radicaux libres et préviennent les maladies. Parmi les polyphénoles du thé, les catéchines combattent les agents cancérigènes. Ils sont anti-inflammatoires et peuvent prévenir les problèmes allergiques tels que l'asthme. Le thé vert réduit la tension et le cholestérol et freine le durcissement des artères, limitant le risque de maladies et de crises cardiaques. Son action antibactérienne retarde l'apparition de caries et de gingivites.

PRÉPARATION DU THÉ VERT

Pour profiter au maximum des bienfaits du thé vert, il faut le boire fort. Pour cela, laissez-le infuser au moins 5 min. Certains le trouvent alors trop amer et préfèrent le boire plus léger. Le thé vert se vend en vrac ou en sachet, nature ou parfumé aux arômes naturels de citron ou de pomme, par exemple. Pour optimiser ses bienfaits, on lui ajoute des herbes telles que de la menthe poivrée digestive ou du ginkgo biloba bon pour le cerveau. Choisissez un thé vert de bonne qualité, de préférence bio. Mieux vaut le boire sans lait, mais vous pouvez y ajouter du citron ou du miel.

BLOC-NOTES

• Bien que moins riche en théine que le thé noir, le thé vert a malgré tout un effet stimulant. Mieux vaut éviter d'en boire le soir ou en cas d'anxiété.

• Dans l'Antiquité, les Grecs appelaient le thé la « feuille divine » et l'utilisaient pour traiter les infections des voies respiratoires telles que le rhume et l'asthme.

• L'action du thé vert contre les radicaux libres fait de lui un allié contre le vieillissement.

THÉ À LA MENTHE
Pour 4 tasses

2 c. à s. de thé vert
1 litre d'eau bouillante
1 bouquet de menthe fraîche
sucre roux

Disposez le thé dans une théière, couvrez d'eau bouillante et laissez infuser 3 min. Lavez la menthe, réservez quelques brins pour chaque tasse, ajoutez le reste dans la théière et laissez infuser 5 min. Versez dans des verres en sucrant si nécessaire, et décorez avec les brins de menthe restants.

Gingembre

NUTRIMENTS : phénols, huiles volatiles.

Originaire d'Inde et de Chine, le gingembre est l'une des épices les plus utiles contre le rhume et la grippe.

Reconnu pour ses vertus médicinales et aromate très apprécié, le gingembre stimule la circulation et aide l'organisme à se purifier. Ses huiles ont de puissantes vertus antiseptiques et expectorantes, ce qui en fait un remède utile contre les rhumes et les infections bronchiques – pour préparer une infusion, il suffit de verser de l'eau chaude sur du gingembre frais râpé. Les études montrent que le gingembre combat la nausée et soulage les malaises des transports et de la grossesse. Il soulage également les problèmes digestifs.

GINGEMBRE ET TOFU SAUTÉS *Pour 4 personnes*

6 gousses d'ail écrasées
1 morceau (10 cm)
   de gingembre frais râpé
1 paquet de tofu ferme coupé
   en dés
sauce de soja
poivre de Cayenne
4 c. à s. d'huile d'olive
1 tête de brocoli coupée
   en bouquets
1 poivron vert épépiné
   et émincé
400 g de germes de soja
100 g d'amandes effilées

Dans un saladier, mélangez l'ail, le gingembre, le poivre de Cayenne et le tofu, et couvrez de sauce de soja. Laissez mariner 10 min. Dans un wok, faites chauffer l'huile, ajoutez le tofu et sa marinade, les légumes et les germes de soja, et laissez cuire. Incorporez les amandes, mélangez puis servez.

Cumin noir

Le cumin noir, ou *Nigella*, est un remède asiatique traditionnel contre les troubles gastro-intestinaux.

Le cumin noir est depuis longtemps une épice très appréciée en Asie pour ses vertus thérapeutiques. De récentes études lui prêtent une puissante action antimicrobienne et antibactérienne. Il aide le système digestif à se remettre d'une intoxication alimentaire. Ses acides gras essentiels favorisent l'équilibre du système immunitaire et atténuent les réactions allergiques. Ses huiles stimulent les défenses immunitaires et protègent contre le cancer. Le cumin noir a également une action anti-mucus, d'où son utilité en cas de rhume et autres infections respiratoires.

NUTRIMENTS : vitamines B1, B2 ; manganèse, potassium ; acides gras oméga 3 et 6 ; huiles volatiles.

INFUSION AUX ÉPICES
Pour 1 tasse

1 c. à s. de graines de cumin noir
1 c. à c. de miel liquide
eau bouillante

Versez les graines et le miel dans une tasse, puis recouvrez d'eau bouillante en remuant continuellement. Couvrez et laissez infuser 10 min avant de boire.

Les graines de cumin noir dégagent un arôme poivrélorsqu'on les frotte entre les doigts.

Curcuma

NUTRIMENTS : vitamine B3 ; calcium, fer ; curcumine.

Moins chère que le safran, qu'elle remplace souvent, cette épice mérite tout notre intérêt.

Le curcuma contient de la curcumine, antiseptique, antioxydante et anti-inflammatoire, d'où son utilité contre les maladies auto-immunes telles que l'arthrite rhumatoïde et les allergies. La curcumine prévient l'accumulation de dépôts de graisses dans les artères et protège contre certaines maladies telles que l'Alzheimer et les problèmes cardiaques. Le curcuma inhibe également la croissance des cellules cancéreuses.

RIZ PARFUMÉ
Pour 4 personnes

400 g de riz basmati
3 c. à s. de pignons
3 c. à s. d'huile d'olive
2 gros oignons finement émincés
3 c. à s. de raisins secs
1/2 c. à c. de curcuma

Mettez le riz à tremper pendant 1 h, puis égouttez-le. Faites revenir les pignons dans l'huile à feu doux, ajoutez les oignons et faites-les fondre et dorer. Ajoutez les raisins secs, le riz et le curcuma, mélangez et couvrez d'eau. Portez à ébullition, baissez le feu et laissez cuire jusqu'à totale absorption de l'eau, puis poursuivez la cuisson en ajoutant petit à petit de l'eau jusqu'à ce que le riz soit cuit – comptez environ 20 min. Servez immédiatement.

Raifort

Ce proche cousin de la moutarde combat
les infections et stimule la circulation.

Le raifort a des vertus antispasmodiques et soulage tout
particulièrement les problèmes de sinus. C'est un puissant
stimulant circulatoire, mais aussi digestif. Son action
antibactérienne en fait un bon remède contre le rhume, tandis
que ses huiles volatiles lui confèrent une action expectorante
qui soulage les rhumes chroniques. Il contient également de la
vitamine C immunostimulante.

NUTRIMENTS : vitamine C ; calcium,
magnésium, phosphore ; huiles
volatiles.

> **Évitez
> de consommer
> du raifort en cas
> d'insuffisance
> thyroïdienne.**

SAUCE À LA POMME ET AU RAIFORT *Pour 1 petit bol*

2 pommes pelées, épépinées
et râpées
2 c. à s. de raifort fraîchement
râpé
le jus de 1 citron
1 c. à c. de sel
2 c. à c. de menthe fraîche
finement ciselée

20 cl de crème fraîche
ou de fromage blanc

Mélangez soigneusement tous
les ingrédients dans un saladier,
laissez reposer 1 h au
réfrigérateur et servez
en accompagnement d'une
viande ou d'un plat de légumes.

Ail

NUTRIMENTS : vitamine B6 ; fer, magnésium, phosphore, sélénium, zinc ; acides aminés, huiles volatiles.

Ingrédient indispensable en cuisine, ce bulbe possède de nombreuses vertus thérapeutiques.

Très utilisé dans les cuisines du monde entier, l'ail serait originaire d'Asie centrale. Dans l'Antiquité, les Égyptiens et les Grecs l'utilisaient dans leurs rituels autant qu'en médecine. Traditionnellement, il protégeait contre toutes sortes de maladies, des problèmes gastro-intestinaux aux infections respiratoires.

LES PROPRIÉTÉS IMMUNOSTIMULANTES DE L'AIL

L'ail est un puissant antimicrobien. Il stimule la production de globules blancs et lutte contre les bactéries, les parasites, les champignons et les virus. Ces vertus en font un bon allié contre les maladies, des champignons aux intoxications alimentaires en passant par le simple rhume. L'ail est bon pour le cœur car il combat activement le cholestérol. L'allicine, une huile volatile présente dans la gousse, prévient la formation de tumeurs. Ses acides aminés immunostimulants font aussi de lui un puissant antioxydant.

UTILISATION DE L'AIL

Universel et goûteux, l'ail peut agrémenter tous vos plats – comptez une gousse par personne pour profiter pleinement de ses bienfaits pour la santé. Il relève la saveur des fritures, cassolettes et sauces. Haché et cru, il parfume salades et assaisonnements. L'ail existe également en complément alimentaire.

BLOC-NOTES

• Attention de ne pas manger trop d'ail si vous prenez un traitement contre la tension, car il peut exacerber les effets de ces médicaments.

• Contre l'haleine fortement aillée, mâchez du persil frais.

• Les composés sulfurés de l'ail peuvent irriter les ulcères gastriques.

• Les gousses d'ail se conservent mieux dans un endroit frais et sec. Si l'atmosphère est trop humide, elles ont tendance à germer et, si elle est trop chaude, elles finissent par se réduire en poudre grise.

SALADE DE TOMATE AU BASILIC ET À L'AIL *Pour 4 personnes*

800 g de grosses tomates coupées en rondelles
4 c. à s. de basilic frais grossièrement ciselé
2 gousses d'ail finement émincées
6 c. à s. d'huile d'olive
2 c. à s. de vinaigre

balsamique
sel de mer et poivre

Disposez les rondelles de tomates sur un grand plat et assaisonnez avec le reste des ingrédients. Servez immédiatement.

Graine de moutarde

NUTRIMENTS : vitamines B1, B2, B3, caroténoïdes ; calcium, fer, magnésium, zinc ; huiles volatiles.

En latin, *Mustum ardens* signifie littéralement "pâte brûlante" – on comprend bien pourquoi !

La graine de moutarde contient de puissantes huiles volatiles qui combattent les rhumes. Elle stimule la circulation et favorise la transpiration et l'élimination des toxines. Elle contient également de petites quantités de minéraux immunostimulants, notamment du fer bon pour le sang, du zinc antioxydant et des vitamines B tonifiantes.

POULET MASALA

Pour 4 personnes

4 c. à s. de beurre clarifié
2 oignons émincés
2 c. à c. de gingembre frais râpé
2 gousses d'ail écrasées
1 c. à c. de graines de moutarde
  noire
1 piment rouge épépiné
  et finement ciselé
2 c. à c. de garam masala
2 c. à c. de cumin en poudre
4 blancs de poulet
25 cl d'eau
12,5 cl de lait de coco
1 c. à s. de coriandre fraîche
  ciselée

Dans un wok, faites chauffer le beurre clarifié et faites sauter les oignons, le gingembre et l'ail pendant 2 min. Ajoutez les graines, le piment et les épices et faites revenir encore 3 min. Puis ajoutez le poulet et l'eau et laissez mijoter à découvert jusqu'à évaporation de l'eau. Le poulet doit être tendre. Incorporez le lait de coco et la coriandre, remuez jusqu'à ce que tout soit chaud et servez.

La graine de moutarde peut être irritante si l'on en abuse. Utilisez-la avec parcimonie.

Poivre de Cayenne

Cette épice robuste est une variété de piment finement moulu, avec lequel elle partage les mêmes propriétés.

NUTRIMENTS : vitamine B3, caroténoïdes ; calcium, fer, magnésium ; flavonoïdes ; huiles volatiles.

Le poivre de Cayenne est un stimulant circulatoire. Il dilate les vaisseaux sanguins et augmente l'afflux de sang dans tout le corps. Il aide ceux qui souffrent de fatigue et de malaises, notamment en cas de fatigue postvirale (encéphalomyélite myalgique). C'est aussi un puissant antibactérien. Il soulage les rhumes chroniques. Son action antioxydante aide l'organisme à combattre les dommages causés par les radicaux libres.

> **Les personnes souffrant de gastrite, d'ulcère à l'estomac ou de tension doivent éviter de consommer du poivre de Cayenne.**

POULET AUX ÉPICES *Pour 4 personnes*

1 c. à c. de poivre de Cayenne 1 c. à c. de piment ciselé le jus et le zeste de 1 citron vert 1 c. à s. de miel 1 c. à s. d'origan séché 1 c. à s. de basilic séché 4 blancs de poulet 125 g de crème fraîche	Dans un bol, mélangez le poivre de Cayenne, le piment, le citron vert, le miel et les herbes. Roulez le poulet de cette marinade et laissez mariner 2 h. Faites cuire au four pendant 30 min. Servez accompagné de crème fraîche.

Répertoire médical

ACNÉ

L'acné est une maladie de la peau fréquente chez les adolescents. Elle peut aussi affecter les adultes. Supprimez le sucre et enrichissez votre alimentation en fibres en mangeant plus de fruits et de légumes frais pour améliorer votre digestion et éclaircir votre teint. Le zinc et les vitamines B, C et E peuvent aider.

Aliments conseillés

Avocat (p. 24), yaourt (p. 102), noix du Brésil (p. 66), huile d'onagre (p. 73), ortie (p. 30), flocons d'avoine (p. 76), saumon (p. 97), épinard (p. 26), cresson (p. 31).

ANGINE

Les infections de la gorge peuvent être virales ou bactériennes. Elles se manifestent par des fièvres, des malaises et des difficultés de déglutition dues à l'inflammation des amygdales et/ou des végétations.

Aliments conseillés

Myrtille (pp. 56-57), carotte (p. 11), ail (pp. 116-117), citron (p. 50), ortie (p. 30), oignon (p. 14), romarin (p. 108), thym (p. 106).

ARTHRITE RHUMATOÏDE

L'arthrite rhumatoïde est une maladie inflammatoire. Évitez les aliments qui entretiennent l'inflammation, notamment le sucre, les sucres raffinés, les agrumes et l'alcool. Privilégiez une alimentation riche en fruits et en légumes antioxydants. Les noix, les céréales et les poissons gras sont bons pour les articulations.

Aliments conseillés

Betterave (p. 16), brocoli (p. 36), maquereau (p. 98), flocons d'avoine (p. 76), oignon (p. 14), papaye (p. 41), ananas (p. 40), graine et huile de sésame (p. 74).

ASTHME

Identifiez et évitez les aliments allergènes (tels que le lait, le blé, les noix et le poisson) et limitez les apports en graisse et en sucre pour combattre les infections respiratoires.

Aliments conseillés

Cumin noir (p. 113), brocoli (p. 35), carotte (p. 11), poivre de Cayenne (p. 119), ail (pp. 116-117), thé vert (pp. 110-111), raifort (p. 115), ortie (p. 30), papaye (p. 41), poivron rouge (p. 15), shiitake (pp. 20-21), patate douce (p. 10).

BRONCHITE

Inflammation virale des bronches. Consommez des aliments possédant des vertus antivirales et expectorantes.

Aliments conseillés

Haricot aduki (p. 75), chou frisé (p. 34), fleur de sureau (p. 107), ail (pp. 116-117), oignon (p. 14), romarin (p. 108), thym (p. 106).

CANCER

Une alimentation riche en fruits et légumes frais peut aider à prévenir le cancer. Si la maladie est déclarée, choisissez des aliments diurétiques et riches en nutriments et en agents actifs contre la croissance des tumeurs.

Aliments conseillés

Brocoli (p. 36), chou de Bruxelles (p. 29), cerise (p. 58), pois chiche (p. 86), pamplemousse (pp. 52-53), thé vert (pp. 110-111), chou de Milan (p. 36), shiitake (pp. 20-21).

CANDIDOSE (OU MUGUET)

Cette infection est due à un champignon, le *Candida albicans*. Les médicaments (en particulier les antibiotiques, les immunosuppresseurs et les stéroïdes), le stress et une mauvaise alimentation peuvent provoquer une poussée de muguet. Il existe deux formes de candidose – buccale et vaginale. Le muguet buccal se manifeste par de petites plaques blanches à l'intérieur de la bouche, où la muqueuse est rouge et douloureuse. Il affecte essentiellement les bébés malades, les personnes immunodéficientes et les personnes âgées. La candidose vaginale provoque des écoulements vaginaux anormaux, des irritations et des douleurs.

Aliments conseillés

Yaourt (p. 102), cumin noir (p. 113), ail (pp. 116-117), thym (p. 106).

CYSTITE

Cette infection bactérienne de l'urètre peut être soulagée en mangeant beaucoup d'aliments frais riches en vitamines A et C et en zinc. Réduisez le sucre, la caféine, l'alcool et les aliments contenant des additifs, et buvez beaucoup d'eau.

Aliments conseillés

Haricot aduki (p. 75), asperge (p. 27), yaourt (p. 102), chou de Bruxelles (p. 29), cerise (p. 58), airelle (p. 60), ail (p. 116-117), goyave (p. 43), graine et huile de sésame (p. 74).

DÉPRESSION

Caractérisée par une tendance à pleurer pour un rien, une anxiété et un sentiment d'impuissance, la dépression affecte une personne sur quatre à différents stades de la vie. Combattez-la en supprimant l'alcool, le tabac et les sucres, en faisant de

l'exercice et en privilégiant une alimentation riche en acides gras oméga 3 et en vitamines B.

Aliments conseillés

Maquereau (p. 98), flocons d'avoine (p. 76), quinoa (p. 79), riz (p. 80), saumon (p. 97), épinard (p. 26), thon (p. 96).

ECZÉMA

Pour limiter la fréquence des poussées de cette maladie de peau courante, commencez par identifier et éviter les aliments auxquels vous êtes sensible. Réduisez votre consommation de laitages et d'aliments préparés et suivez un régime riche en graisses essentielles, en vitamine A et en zinc.

Aliments conseillés

Camomille (p. 104), carotte (p. 11), chou frisé (pp. 34-35), échinacée (p. 105), huile d'onagre (p. 73), pignon (p. 65), graine de courge (p. 71), noix (p. 63).

FATIGUE POSTVIRALE (encéphalomyélite myalgique)

Cette maladie chronique dont les causes exactes restent mystérieuses se manifeste par un manque d'énergie et des difficultés de concentration. La fatigue post-virale survient souvent après une maladie virale. Privilégier les aliments immunostimulants peut aider à soulager les symptômes.

Aliments conseillés

Abricot (p. 42), betterave (pp. 16-17), carotte (p. 11), cerise (p. 58), raisin (p. 47), menthe poivrée (p. 103), thym (p. 106).

GRIPPE

La bonne santé du système immunitaire est la meilleure prévention contre cette infection virale accompagnée de symptômes voisins du rhume. En cas de grippe,

adoptez une alimentation riche en vitamines et en minéraux antioxydants et buvez beaucoup d'eau.

Aliments conseillés

Voir les aliments préconisés en cas de rhume.

HERPÈS SIMPLEX

Le virus à l'origine des boutons de fièvre se nourrit d'arginine, un acide aminé présent dans le chocolat et les noix. Évitez-les et préférez des aliments riches en vitamine C antivirale et en bêtacarotène. En cas d'éruption, des aliments riches en vitamine C et en zinc peuvent accélérer la guérison.

Aliments conseillés

Échinacée (p. 105), ail (pp. 116-117), goyave (p. 43), kiwi (p. 39), graine de courge (p. 71), shiitake (pp. 20-21), épinard (p. 26), tomate (p. 18).

HIV ET SIDA

Le sida et son précurseur, le HIV, sont en progression dans le monde entier. Si vous êtes atteints par ce virus, mangez beaucoup d'aliments entiers frais, de préférence bio, et choisissez des aliments riches en zinc et en vitamine C, ainsi que des aliments-santé tels que le shiitake et le thé vert.

Aliments conseillés

Betterave (pp. 16-17), noix du Brésil (p. 66-67), brocoli (p. 36), pamplemousse (pp. 52-53), thé vert (p. 87), ortie (p. 30), patate douce (p. 10), shiitake (pp. 20-21).

INTOXICATION ALIMENTAIRE

Causée par des bactéries (*Escherichia coli* et *Listeria*), l'intoxication alimentaire se manifeste par des nausées, des diarrhées et de la fièvre. Buvez beaucoup d'eau, privilégiez les aliments diurétiques et rétablissez l'équilibre naturel de votre organisme en mangeant des aliments propices à la croissance des bactéries amies.

Aliments conseillés

Haricot aduki (p. 75), asperge (p. 27), yaourt (p. 102), artichaut (p. 28), raisin (p. 47), thé vert (pp. 110-111), flocons d'avoine (p. 76), rhubarbe (p. 19).

MALADIE CARDIAQUE

L'une des causes des maladies cardiaques est le blocage des artères par le cholestérol et les déchets. En Occident, ces maladies sont une cause de mortalité importante. Évitez les graisses saturées (présentes dans les viandes rouges, le fromage et les aliments préparés), préférez les graisses saines et mangez des aliments riches en fibres et en flavonoïdes.

Aliments conseillés

Amande (p. 69), avocat (pp. 24-25), myrtille (pp. 56-57), ail (pp. 116-117), pamplemousse (pp. 52-53), maquereau (p. 98), flocons d'avoine (p. 76), saumon (p. 97).

MICI (Maladies inflammatoires chroniques de l'intestin)

Les MICI se manifestent par des douleurs abdominales, des diarrhées sanglantes, une perte de poids et une mauvaise absorption des nutriments. Évitez les sucres, les sucres raffinés, le blé et les laitages, et préférez les aliments anti-inflammatoires riches en vitamine C.

Aliments conseillés

Avocat (pp. 24-25), yaourt (p. 102), lentille (p. 85), flocons d'avoine (p. 76), riz (p. 80), graine de soja (pp. 88-89), épinard (p. 26), noix (p. 63).

MIGRAINE

Diminuez la fréquence
de ces maux de tête
douloureux en identifiant
et en évitant les aliments
allergènes (fromage, café,
chocolat et vin rouge).

MYCOSES

Les mycoses les plus
courantes sont le muguet (voir
Candidose) et le pied d'athlète.
Aidez votre organisme
à les combattre en évitant
l'alcool, les laitages
et les sucres raffinés
et en limitant
votre consommation
de levure (y compris de pain
et d'extrait de levure de bière).
Aliments conseillés
*Noix du Brésil (p. 66),
camomille (p. 104), carotte
(p. 11), ail (pp. 116-117),
gingembre (p. 112),
pamplemousse (pp. 52-53),
riz (p. 80).*

RHUME

Aidez votre organisme à lutter
contre le virus du rhume
en évitant les produits laitiers
et en mangeant beaucoup
de fruits et de légumes riches
en vitamine C et en zinc.
Aliments conseillés
*Cumin noir (p. 113), myrtille
(pp. 56-57), ail (pp. 116-117),
gingembre (p. 112), citron (p. 50),
flocons d'avoine (p. 76), oignon
(p. 14), orange (p. 51), romarin
(p. 108), thym (p. 106).*

RHUME DES FOINS

Une alimentation riche
en nutriments immunostimulants
tels que la vitamine E,
le bêtacarotène, le sélénium
et le magnésium peut soulager
les symptômes
de cette maladie allergique
qui se manifeste par
des écoulements nasaux,
des éternuements
et des démangeaisons
oculaires. Évitez le blé
et les laitages, buvez beaucoup
d'eau et mangez des aliments
riches en vitamine C,
un antihistaminique naturel.
Aliments conseillés
*Avocat (pp. 24-25), betterave
(pp. 16-17), thé vert (pp. 110-111),
goyave (p. 43), papaye (p. 41),
shiitake (pp. 20-21), épinard
(p. 26).*

SINUSITE

Cette inflammation des cavités
nasales se manifeste par des
maux de tête, des douleurs
faciales et le nez bouché. C'est
le plus souvent la conséquence
d'un rhume ou d'une grippe
à complications, mais elle peut
aussi être provoquée
par une allergie, une blessure
ou un problème dentaire.
Aliments conseillés
Voir les aliments préconisés
en cas de rhume.

Glossaire

VITAMINES

Vitamine A et bêtacarotène – la vitamine A et son précurseur le bêtacarotène sont de puissants antiviraux. Ils sont importants pour la production de cellules-T et d'enzymes antibactériennes.

Vitamine B1 (thiamine) – nécessaire à une bonne digestion, à des muqueuses solides, à la santé du système nerveux et au tonus.

Vitamine B2 (riboflavine) – répare et entretient les tissus et les membranes muqueuses et aide à transformer les aliments en énergie.

Vitamine B3 (niacine) – participe à la production d'énergie et à la santé de la peau, des muqueuses, des nerfs, du cerveau et du système digestif.

Vitamine B5 (acide pantothénique) – cet immunostimulant nécessaire à la formation d'anticorps aide l'organisme à gérer le stress et veille à la santé du système nerveux.

Vitamine B6 – aide à la fabrication des acides aminés, stimule l'action des phagocytes et contribue au bon fonctionnement cérébral.

Vitamine B9 (folates ou acide folique) – cette vitamine B essentielle à la santé des organes reproducteurs et à la division des cellules est bonne pour la santé des globules.

Vitamine B12 – nécessaire à la fabrication de l'ADN et à l'oxygénation du sang. Elle purifie l'organisme et stimule le système nerveux.

Biotine – nécessaire à la santé de la peau, des cheveux, des ongles, des nerfs et de la moelle osseuse. Elle stimule la production d'énergie.

Vitamine C – antivirale, antioxydante, détoxicante, antiallergique et antibactérienne, elle est essentielle au système immunitaire.

Vitamine D – fabriquée essentiellement sous l'action du soleil, elle renforce les os et les dents et désactive le système immunitaire une fois l'infection passée.

Vitamine E – aide à neutraliser les radicaux libres et à purifier l'organisme, elle est nécessaire à une réaction normale des anticorps.

Vitamine K – stimule la coagulation et la cicatrisation, elle est nécessaire au métabolisme des os.

MINÉRAUX

Calcium – renforce les os et les nerfs, stimule les phagocytes et les cellules-T et les aide à détruire les virus et les bactéries.

Chrome – régule les taux de sucre dans le sang et évite les fringales, améliore et stimule la synthèse des protéines et réduit les lipides dans le sang.

Cuivre – améliore l'absorption du fer et l'oxygénation du sang, il est nécessaire à l'absorption de la vitamine C dans l'organisme.

Iode – essentiel au bon fonctionnement de la thyroïde, stimulant le métabolisme et l'énergie.

Magnésium – améliore l'absorption du calcium, il est nécessaire au métabolisme et à la production d'énergie, à l'influx nerveux et à la fonction musculaire.

Manganèse – nécessaire à la production d'insuline et d'enzymes antioxydantes, d'ADN, d'os, de nerfs et d'hormones.

Phosphore – indispensable à la croissance des os et des dents.

Potassium – maintient l'équilibre des fluides dans l'organisme et produit de l'énergie.

Sélénium – stimule la résistance aux maladies et possède des vertus diurétiques, anti-inflammatoires et anticancéreuses.

Silicium – anti-inflammatoire et bon pour la peau. On en trouve dans les flocons d'avoine.

Zinc – minéral antioxydant, antiviral immunostimulant, il est nécessaire à la maturation des cellules-T.

AUTRES

Acides aminés – unités moléculaires qui composent les protéines.

Acide ellagique – substance anti-cancéreuse présente dans les fruits rouges.

Acide gamma-linoléique (AGL) – acide gras oméga 6 nécessaire à la régulation des cellules-T et à la santé du sang, de la peau et des nerfs.

Acides gras essentiels (AGE) – acides gras oméga 3 et oméga 6. Ces anti-inflammatoires essentiels à la santé du sang, de la peau et des nerfs stimulent les défenses immunitaires.

Acide malique – acide présent dans les pommes. Il aide l'organisme à utiliser efficacement l'énergie.

Acide oxalique – produit du métabolisme qui serait lié à la formation de calculs rénaux.

Allicine – huile volatile qui est présente dans l'oignon et l'ail et peut aider à éliminer les tumeurs.

Anthocyanines – pigments de couleur violet foncé, ces antioxydants stimulent la circulation du sang.

Asparagine – acide aminé détoxicant présent dans l'asperge.

Bêtasitostérol – substance végétale qui combat le cholestérol et protège la prostate.

Broméline – enzyme anti-inflammatoire qui facilite la digestion des protéines.

Capsicine – substance végétale présente dans les piments et possédant un effet analgésique naturel.

Caroténoïdes – ces pigments végétaux, dont font partie les alpha-, bêta- et gamma-carotènes, donnent tous naissance à de la vitamine A.

Catéchines – flavonoïdes antioxydants utiles à la prévention du cancer et des maladies cardiaques.

Choline – régule le métabolisme des graisses et protège contre les infections.

Coumarins – ces substances aux vertus fluidifiantes naturelles protègent contre le cancer.

Cultures bactériennes – bactéries amies qui sont présentes dans le yaourt et favorisent la digestion et la santé des intestins.

Curcumine – pigment détoxicant et anti-inflammatoire présent dans le curcuma.

Cynarine – substance détoxicante bonne pour le foie.

Flavonoïdes – terme générique désignant les composés bioactifs anti-inflammatoires qui, avec la vitamine C, consolident les vaisseaux sanguins.

Glucosinolates – substances végétales présentes dans les légumes à feuilles vertes et douées de puissantes vertus anticancéreuses.

Glutathion – important antioxydant propice au développement des cellules immunitaires, les lymphocytes.

Huiles volatiles – terme générique désignant les huiles bioactives présentes dans les herbes et les épices.

Inhibiteurs de protéase – protéines végétales qui bloquent la formation de cellules cancéreuses.

Isoflavones – composés qui imitent l'action des œstrogènes, contribuant à prévenir les cancers liés aux hormones.

Laetrile – composé qui détruit les cellules cancéreuses.

Lentinan – présent dans les shiitakes, il stimule l'activité des cellules-T et soulage les malades du sida et du cancer.

Limonène – substance anti-cancéreuse présente dans le citron.

Lutéine – caroténoïde antioxydant important pour les yeux.

Lycopène – caroténoïde antioxydant présent dans les aliments rouges. Il prévient le cancer de la prostate.

Lysine – acide aminé présent dans la volaille et actif contre le virus de l'herpès.

Menthol – huile volatile présente dans la menthe. Elle purifie le mucus.

Papaïne – enzyme présente dans la papaye. Elle favorise la digestion des protéines.

Pectine – fibre soluble qui favorise la digestion et prévient les maladies cardiaques.

Phénols – substances détoxicantes et anticancéreuses présentes dans les fruits et les légumes frais et le thé.

Quercétine – flavonoïde anti-inflammatoire présent dans les oignons.

Rutine – flavonoïde qui tonifie et répare les vaisseaux sanguins périphériques.

Saponines – composés détoxicants anti-inflammatoires présents dans les herbes, les légumineuses et les légumes.

Sulphoraphane – agent anticancéreux présent dans les légumes à feuilles.

Tanins – substances astringentes dotées de vertus antibactériennes.

index

REMERCIEMENTS

L'auteur souhaite
remercier Graeme Grant,
Grant Sharp, Jo, David
Vaughan-Thomas et ses
parents, Paul et Valerie
Haigh. L'éditeur tient à
remercier Maria Davies.